LE PARLER QUÉBÉCOIS

Claire Armange

REMERCIEMENTS

Je tiens à remercier Diane Bergeron Simard d'avoir vérifié la justesse des termes québécois. Je salue sa générosité, son sérieux, ses judicieux conseils et ses ajouts de mises en contexte là où il en manquait. Merci infiniment Diane !

Cerise sur le Sundae (cerise sur le gâteau en français de France) : Merci à Dominique Fortin pour les réponses à mes questions de dernière minute ! Avec ma profonde amitié.

ISBN : 978-2-7540-8837-4
Dépôt légal : septembre 2016
Imprimé en Italie

Couverture et mise en page : Olivier Frenot
Correction : Valérie Gios

Éditions First, un département d'Édi8
12, avenue d'Italie
75013 Paris - France
Tél. : 01 44 16 09 00
Fax : 01 44 16 09 01
firstinfo@efirst.com
Site Internet : www.editionsfirst.fr

SOMMAIRE

LES CONTRACTIONS – MOTS ET FINS DE MOTS QUI S'AJOUTENT, DISPARAISSENT, SE MÉLANGENT OU SE TRANSFORMENT

A

Signification : Remplace le pronom elle.
Mise en contexte : « A viendra pas à soir. » Elle ne viendra pas ce soir.
Attention : Le « A » peut sauter complètement devant une voyelle. « Est r'tournée chez eux en bicyc. » Elle est rentrée chez elle à bicyclette.

À

Signification : De.
Mise en contexte : « Est où la camisole à Roy ? » Il est où le débardeur de Roy ?
Autre signification : À la.
Mise en contexte : « Pierre pis moi on va à campagne en fin de semaine. » Pierre et moi nous allons à la campagne ce week-end.

A1 (prononcer à l'anglaise « ai-ouane »)
Signification : Excellente qualité, premier choix. Top.
Origine : De l'argot américain A1.
Mise en contexte : « Ta présentation au meeting, c'était A1. » Ta présentation à la réunion, c'était vraiment bon.

À cause ?
Signification : Pourquoi ?
Mise en contexte : « À cause tu fais ça ? » Pourquoi tu fais ça ?

À cause que
Signification : Parce que.
Mise en contexte : « Y fait la baboune à cause que chu pas allé au chalet avec eux z'ôtes samedi. » Il boude parce que je ne suis pas allé avec eux au chalet samedi.

À date
Signification : Jusqu'ici, jusqu'à maintenant, jusqu'à présent, à ce jour.
Origine : De l'anglais *to date* et *up to date*.
Mise en contexte : « J'ai pas eu de ses nouvelles à date ». À ce jour, je n'ai pas eu de ses nouvelles.

À matin/À soir
Signification : Ce matin/Ce soir.
Mise en contexte : « J'ai pas pu parler à Céline à matin mais je vais le faire à soir, certain. » Je n'ai pas pu parler à Céline ce matin, mais je vais le faire ce soir, garanti.

À part de t'ça/À propos de t'ça
Signification : À part ça/À propos de ça.
Mise en contexte : « Pis, à part de t'ça, était-tu en santé ta matante ? » Et à part ça, ça allait la santé de ta tante ?

Aréoport
Signification : Aéroport.

Ast(h)eure
Signification : À cette heure. Maintenant. Actuellement, de nos jours, à notre époque.

Mise en contexte : « Yé-tu rendu architecte astheure? » Est-ce qu'il est architecte maintenant? « Les flos asteur, y'essaient toutes sortes d'affaires. » Les ados de nos jours, ils font toutes sortes d'expériences.

À tantôt/Tantôt

Signification (faux ami) : À tout à l'heure. Tout à l'heure. Bientôt.
Mise en contexte : « Yé onze heures, chu mieux de luncher tantôt à cause que j'ai une rencontre à midi. » Il est onze heures, c'est mieux que je mange bientôt car j'ai un rendez-vous à midi. « On se rejoint après le souper. À tantôt! » On se rejoint après le repas du soir. À tout à l'heure.
Information culturelle : Tantôt ne signifie pas « cet après-midi » mais indique un laps de temps proche, qui peut aller du quart d'heure à la journée. Sans précision, « à tantôt » sous-entend qu'on reverra la personne dans la journée.

Au-delà

Signification : Plus.
Mise en contexte : « J'ai attendu après lui au-delà de trente minutes, me semble que c'est assez! » Je l'ai attendu plus de trente minutes, il me semble que ça suffit!

Autre

Signification : Encore.
Mise en contexte : « Est pas assez dorée ta croustade. Ajoute un autre quinze minutes et ce sera A1. » Il n'est pas assez doré ton crumble. Ajoute encore quinze minutes (de cuisson) et ce sera parfait.

Avoir su
Signification : Si j'avais su.
Mise en contexte : « Avoir su, j'aurais pas v'nu. » Clin d'œil à Gavroche, version québécoise ! Si j'avais su, je ne serai pas venu.

Avec
Signification : Aussi.
Mise en contexte : « – J'prendrai un café latté. – Moi avec. » – Je vais prendre un café au lait. – Moi aussi.
Autre signification : Compris (dans).
Mise en contexte : « Dans ce char les bancs chauffants ça vient avec ou c'est en option ? » Dans cette voiture, les sièges chauffants, c'est compris (sous-entendu « dans le prix ») ou c'est en option ?

Bon
Signification : Au moins, au minimum.
Mise en contexte : « Ça prend un bon cinq heures faire Montréal Toronto. » Ça prend au moins cinq heures pour faire Montréal-Toronto.

Boutte
Signification : Un bout de temps. Longtemps.
Mise en contexte : « On l'a pas vu depu un boutte. » Ça fait longtemps qu'on ne l'a pas vu. « Ça fait un boutte ! » Ça fait un bail !
Autres significations :

- Dans les environs, dans le coin. « Chu du boutte. » Je suis du coin.

- Loin. Au bout. « C'est un boutte chez vous. » C'est loin chez toi.
- Boutte crisse ! : Exclamation de surprise d'une personne « en maudit » (en colère).
- C't'au boutte : C'est super, génial. « C't'au boutte ta chronique ! » Elle est excellente ta chronique.
- Être à boutte : Être au bout du rouleau.
- Être au boutte : Extrêmement. « Yé poche au boutte. » Il est mauvais au possible. « Chu rendu au boutte. » Je suis extrêmement fatigué.
- Tenir son boutte : Persévérer, résister, ne pas lâcher.

Capab

Signification : Être capable de. Pouvoir faire quelque chose.

Pu capab

Signification : En avoir marre, ras le bol. Être à bout, épuisé. Ne plus supporter.

Mise en contexte : « Pu capab ! » Je n'en peux plus ! (après une journée harassante par exemple) « Y se sont chicanés toute l'avant midi, chu pu capab ! » Ils se sont disputés toute la matinée, je suis à bout (sous-entendu « je ne les supporte plus »).

Ché

Signification : Je sais.

Mise en contexte : « Ché-tu moé ! » Je n'en sais rien ! Qu'est-ce que j'en sais !

Usage : Souvent employé à la négative. « Ché pas quoi y dire ». Je ne sais pas quoi lui dire.

Chu
Signification : Je suis.
Mise en contexte : « Chu full content. » Je suis super content.

Ch't'à
Signification : Je suis à.
Mise en contexte : « Ch't'à pharmacie. » Je suis à la pharmacie.

Correc'
Signification : Correct. D'accord, entendu, parfait, ça va, c'est bien, c'est bon, c'est réglé, c'est fait, marché conclu.
Mise en contexte : « T'as-tu soif ? Chu correc' ». As-tu soif ? Ça va. « J'peux-tu laisser ma sacoche icitte ? C'correc' ». Est-ce que je peux laisser mon sac ici ? Ça me va. / D'accord.

Coudon !
Signification : Écoute donc. Dis donc ! Franchement ! Mais enfin ! C'est pas vrai !
Interjection qui sert à amplifier le discours en signifiant l'incompréhension, la surprise, l'énervement, l'impatience.
Mise en contexte : « Coudon ! Y'arrive-tu ! » Bon sang ! Est-ce qu'il va finir par arriver !

Coupe
Signification : Deux.
Origine : De l'anglais *a couple of.*
Mise en contexte : « Je planifie avoir terminé dans une coupe d'heures. » Je projette d'avoir terminé dans deux heures.
« Michèle s'en vient dans une coupe de jours. » Michèle sera là dans deux jours.

Deboute
Signification: Debout.
Mise en contexte: « Laisse-toi pas avoir. Tiens-toi deboute. » Ne te laisse pas avoir, sois ferme.

D'en aouaire/D'naouaire
Signification: D'en avoir.
Mise en contexte: « Là t'es s'posé d'en aouaire en masse. » Là tu devrais en avoir largement assez.

Depu
Signification: Depuis.
Mise en contexte: « Depu chu là ça l'aide beaucoup. » Depuis que je suis là, ça aide beaucoup.

D'même
Signification: De même. Comme ça.
Mise en contexte: « Ça m'fait-tu d'même ou bedon chu mieux d'mettre le bleu? » Ça me va comme ça où je devrais plutôt porter le bleu? « Y'é d'même, tu l'changeras pas. » Il est comme ça, tu ne le changeras pas.

Drette
Signification: Droit(e). Directement (droit sur/droit ici).
Origine: Vieux français.
Mise en contexte: « Tu tournes à drette à la deuxième lumière pis t'es drette sa bonne rue. » Tu tournes à droite au deuxième feu et t'es directement sur la bonne rue.
• Drette-là: Dès maintenant. Immédiatement. D'un coup.
Mise en contexte: « J'y va drette-là. » J'y vais sur le champ.

Ê

Signification : Elle est.

Mise en contexte : « Ê don bin fine. » Elle est vraiment aimable.

Entéka

Signification : En tout cas.

Faque

Signification : Ce qui fait que. Par conséquent. Donc. Ainsi. Alors. C'est pour ça que.

Mise en contexte : « J'ai mon lavage à faire faque je serai pas là pour dîner. » Je dois faire une machine à laver donc je ne serai pas là pour le repas de midi.

Usage : Terme également employé sous la forme « Ça fait que ».

Icitte

Signification : Ici.

Origine : Vieux français.

Mise en contexte : « Vous êtes pas icitte pour critiquer, vous êtes pas icitte pour dire que vous comprenez pas c'qu'on vous dit, vous êtes pas icitte pour bayer aux corneilles en trouvant toute plate pis toute mauvais, vous êtes icitte pour avoir du fun (…) » Michel Tremblay, *Le Cahier rouge*.

FINS DE MOT QUI DISPARAISSENT

- Cin: Cinq.
- Contac: Contacte.
- Dentiss: Dentiste.
- Garagiss: Garagiste.
- Poss: Poste (chaîne de télévision, faux ami).
- Premier Miniss: Premier ministre.
- Professionaliss: Professionnalisme.
- Souverainiss: Souverainiste (personne, opposée au fédéralisme canadien, qui désire l'indépendance du Québec).
- Touriss: Touriste.
- Triss: Triste.

Etc.

Inque (prononcer i-un-que)
Signification : Rien que. Juste.
Mise en contexte : « Capote pas, c'est inqu'une idée. Sens-toi ben à l'aise de refuser. » Stresse pas, c'est juste une idée. Tu peux refuser.

Laite
Signification : Laid, laide.
Mise en contexte : « Yé don bin laite ce pitou-là ! Ça d'l'air qu'y s'est écrasé la face sul bumper ! » Qu'est-ce qu'il est laid ce chien-là, on dirait qu'il s'est écrasé le museau contre un pare-chocs !

M'a
Signification : Je vais.

Mise en contexte : « M'a prendre une marche, tu viens-tu ? » Je vais faire une balade, tu m'accompagnes ?

M'a t'

Signification : Je vais te.
Mise en contexte : « M'a t'dire de quoi. » Je vais te dire un truc.

Matante

Signification : Tante. Tata.
Mise en contexte : « Ma matante est partie vivre à Paris, a l'aime ça ben gros mais son gars a le mal du pays. » Ma tante est partie vivre à Paris, elle aime vraiment ça, mais son fils a le mal du pays.
Autres significations :

- Femme ringarde, ennuyante. Commère. Qui a une apparence vieillotte.

Mise en contexte : « Est habillée comme une matante. » Elle est démodée. « On est passé des réunions Tupperware pour vieilles matantes aux présentations de jouets sexuels à domicile. Les temps changent ! » On est passé des réunions Tupperware pour mémés aux présentations de *sex toys* à domicile. Les temps changent !

Mend'né

Signification : Un moment donné. Un jour ou l'autre.
Mise en contexte : « On va toute y passer un mend'né faque t'es mieux d'vive tusuite ! » On va tous casser notre pipe un jour ou l'autre, alors autant vivre tout de suite. « À force de

se faire niaiser un mend'né t'es tanné! » À force de se faire prendre pour un imbécile, il arrive un moment où ça suffit.

Mononcle
Signification: Oncle. Tonton.
Mise en contexte: « C'est mon mononcle qui m'a payé mon premier char. » C'est mon oncle qui m'a acheté ma première voiture.
Autres significations:
- Beauf. Homme ringard. Vieux.

Mise en contexte: « Dans un mariage t'as toujours un vieux mononcle pour faire des jokes plates. » Dans un mariage, tu as toujours un vieux beauf pour faire des blagues pas drôles. « Tâsse-toé mononcle. » Pousse-toi le vieux. Employé sur la route quand on suit en voiture quelqu'un qui roule lentement.

Oubedon
Signification: Ou bien donc. Ou bien. Ou.
Mise en contexte: « Ça te tentes-tu d'aller au parc oubedon à la pataugeoire? » Tu as envie d'aller au parc ou à la piscine (pour enfants)?

Parc'qu'y'est/Parc'qu'est
Signification: Parce qu'il est/Parce qu'elle est.

Pas pantoute/Pantoute
Signification: Pas du tout. Pas.
Mise en contexte: « Ça me fait pas pantoute! » Ça ne me va pas du tout. « – Sont-tu confortables ces pantalons? – Pantoute! » – Il est confortable ce pantalon? – Absolument pas!

Piasse

Signification : Dollar.
Origine : Du vieux français *piastre*.
Mise en contexte : « Le prix du gaz est rendu à une piasse zéro trois le litre, ça commence à être dispendieux. » Le prix de l'essence atteint un dollar trois le litre, ça commence à être cher.

Pis

Signification : Puis. Et. Alors. Ensuite.
Mise en contexte : « Je prendrai une poutine pis un café. » Je vais prendre une *poutine* (voir mot page 137) et un café. « Pis ? » Alors ? (sous-entendu : « Quelles nouvelles ? Quoi de neuf ? »).
Sert aussi à ponctuer une phrase : « Pis, c'est-tu bon ? » Alors, c'est bon ?
Peut également indiquer la succession des événements dans le temps : « J'va porter les ti-culs à la garderie pis j'va faire l'épicerie. » Je vais déposer les gamins à la garderie, ensuite je ferai les courses.

Pis ?/Pis ça ?

Signification : Je m'en moque, je m'en fiche, rien à foutre. Et alors ? Interjection qui permet généralement de marquer le mépris.
Mise en contexte : « – Savais-tu que Simon s'est trouvé une nouvelle blonde ? – Pis ça ? » – T'es au courant que Simon a une nouvelle copine ? – Et alors ?

LES PLURIELS SINGULIERS OU SINGULIERS PLURIELS !

Chez nous/Chez eux

Signification : Chez moi/Chez nous. Chez elle/lui/Chez eux.

Mise en contexte : « On se chicanait à la journée longue. Depuis que je suis célibataire c'est bin tranquille chez nous. » On se disputait sans cesse. Depuis que je suis célibataire, c'est bien tranquille chez moi. « A s'est t'acheté son premier condo. Était tannée d'la colocation, a trouve ça bin l'fun de s'en r'tourner seule chez eux. » Elle s'est acheté son premier appartement. Elle en avait ras-le-bol de la colocation, elle trouve ça fun de rentrer seule chez elle.

Usage : Pluriel invariable. Au Québec, qu'on vive seul ou à plusieurs, on habite au pluriel !

S'il vous plaît

Signification : S'il vous plaît/S'il te plaît.

Mise en contexte : « Maman ? J'peux-tu avoir du nanane s'il-vous-plait ? » Maman, je peux avoir une sucrerie, s'il te plaît ?

Usage : Pluriel invariable. Curieux paradoxe dans un pays qui tutoie d'emblée et qui suremploie le tu à la forme interrogative.

La toilette
Signification : Les toilettes. Les W.C.
Mise en contexte : « La toilette est à drette du bar. » Les toilettes sont à la droite du bar.
Usage : Singulier invariable. Le Québécois ironique dit qu'en France on parle « des toilettes » parce qu'il est nécessaire d'en visiter un certain nombre pour finalement en trouver une qui soit propre.

Prêt pas prêt

Signification : Prêt ou pas. Qu'on le veuille ou non.
Mise en contexte : « Enweille la gang, prêt pas prêt on embarque dans l'char dans une coupe de minutes. » Allez tout le monde, prêt ou pas, en voiture dans quelques minutes. « Prêt pas prêt, l'hiver s'en vient anyway ! » Qu'on le veuille ou non, l'hiver arrive de toute façon.

Quéqu'un

Signification : Quelqu'un.
Mise en contexte : « Y'a-tu quéqu'un icitte pour servir le monde ? » Y'a-t-il quelqu'un ici pour servir les gens ?

- Aidez-moi quéqu'un ! : À l'aide !

Quessé

Signification : Qu'est-ce que.
Mise en contexte : « Quessé tu lis ? » Qu'est-ce que tu lis ? « Quessé qu'a dit ? » Qu'est-ce qu'elle dit ?

Quessé ça!
Signification : Qu'est-ce que c'est que ça!
Mise en contexte : « Ouach, quessé ça! Ê toute maganée. » Beurk, qu'est-ce que c'est que ça! Elle est toute dégueulassée.

Quessé qu'té
Signification : Qu'est-ce que tu es.
Mise en contexte : « Quessé qu'té en train d'faire? » Qu'est-ce que tu fais?

Sa
Signification : Sur la.
Mise en contexte : « Assis-toi sa chaise. » Assieds-toi sur la chaise.

Siss
Signification : Six.
Mise en contexte : « Apporte siss pommes m'a faire la tarte. » Prends six pommes, je vais faire la tarte.

S't'un(e)
Signification : C'est un(e).
Mise en contexte : « S't'une maudite folle! » C'est une vraie malade!

Su a/Sua
Signification : Sur la.
Mise en contexte : « Pose ta sacoche sua table. » Pose ton sac à main sur la table.

Sué
Signification : Sur les.

Mise en contexte : « Sont sué tablettes. » Ils sont sur les étagères.

Sul

Signification : Sur le.
Mise en contexte : « Quessé t'as sul nez? Des barniques! » Qu'est-ce que t'as sur le nez? Des lunettes!

Sune

Signification : Sur une.

Toué

Signification : Tous les.
Mise en contexte : « Pour rester en santé je prends un jus de lime à toué jours. » Pour rester en bonne santé, je prends un jus de citron vert tous les jours.

Toute

Signification : Tout, toute. Tous, toutes.
Mise en contexte : « Les joueurs de hockey sont toute là. » Les joueurs de hockey sont tous là. « T'as-tu toute pris les bagages? » As-tu pris tous les bagages? « On a toute! » On a tout! « C'est toute! » C'est tout!
Usage : Invariable, en genre et en nombre.

T'seul(e)

Signification : Tout(e) seul(e).
Mise en contexte : « Chu t'seul à souère, faque j'va écouter un vidéo. » Je suis tout seul ce soir, donc je vais regarder une vidéo. À noter que *vidéo* en québécois est masculin et qu'on écoute la télévision, un film, une vidéo!

LE « TU » INTERROGATIF

On repère une phrase interrogative au suffixe « tu » qui suit le verbe. Dans ces cas-là, il tient lieu de « est-ce que ».

Mise en contexte : « Tu veux-tu de la confiture avec ton beurre de pinottes ? » Est-ce que tu veux de la confiture avec ton beurre d'arachide ? « C'est-tu bon ? » Est-ce que c'est bon ? « Ça va-tu ? » Est-ce que ça va ? « Tu manges-tu tusuite ? » Est-ce que tu manges maintenant ?
Usage : Employé même quand ça ne concerne pas la deuxième personne du singulier. « On va-tu au lac ? » « Vous mangez-tu là à soir ? »

Tusuite
Signification : Tout de suite.
Mise en contexte : « Ôtes tes bottines de ski tusuite, tu vas scrapper mon tapis. » Enlève tes bottes de ski tout de suite, tu vas bousiller ma moquette.

Veut veut pas
Signification : Qu'on le veuille ou non.
Mise en contexte : « C't'écœurant mais veut veut pas, l'évasion fiscale est pas mal dans toute les pays astheure. » C'est écœurant, mais qu'on le veuille ou non, l'évasion fiscale concerne presque tous les pays aujourd'hui. « Veut veut pas, tu vas devoir y dire. » Que tu le veuilles ou non, tu vas devoir lui dire.

Y

Signification : Il(s).
Mise en contexte : « Y'ont pas d'affaires à faire là. » Ils n'ont rien à faire ici. « Y'é parti au Costa Rica dans un tout inclus. » Il est parti (sous-entendu « en vacances ») au Costa Rica dans un *resort* en pension complète.

Y'a pas d'presse

Signification : Ce n'est pas pressé. Il n'y a pas d'urgence.
Mise en contexte : « Fais-moi un retour quand tu peux. Y'a pas d'presse. » Reviens-moi quand tu peux. C'est pas urgent.

Y'é

Signification : Il est.
Mise en contexte : « Y'é don bin beau lui ! » Qu'est-ce qu'il est beau !

Là là

Signification : Là maintenant ! Alors là ! Indique que la personne a atteint ses limites.
Mise en contexte : « Là là, ça va faire ! » Là maintenant, ça suffit ! « Là, là, chu en beau joualvert après mon chum. Y'a pas tinqué l'char, faque chu sans gaz astheure. Tu peux-tu m'donner un lift ? » Alors là, je suis vraiment fachée après mon copain. Il n'a pas fait le plein d'essence, résultat je suis en panne sèche. Tu peux passer me prendre ?
Autre signification : Immédiatement, tout de suite.
Mise en contexte : « Tu farmes la télé là, là. » Tu éteins la télévision immédiatement !

MARQUEURS QUI PONCTUENT OU TEMPÈRENT LE DISCOURS

Bin

Signification : Bien. Sert aussi à ponctuer une phrase.
Mise en contexte : « Ça va bin. » Ça va bien. « Bin là, chétu moé ? » Ben, j'en sais rien.

Don bin

Signification : Sert à ponctuer une phrase.
Mise en contexte : « T'es donc bin beau avec ton toupette. » T'es beau avec ta frange. « T'en a don bin des souliers ! » Qu'est-ce que t'as comme chaussures !

Là

Signification : Souvent placé à la fin d'une phrase, sert à ponctuer.
Mise en contexte : « Chu t'à l'école là. J'va porter mes patins à aiguiser ça fait que ch'rai rendu chez nous dans une coupe d'heures. » Je suis à l'école. Je vais faire affûter mes patins, je serai donc à la maison dans environ deux heures.

Tsé

Signification : Tu sais. Tu vois. Quoi. Allègrement utilisé pour ponctuer une phrase.

Mise en contexte : « J'y ai dit "ça s'peut pas", tsé, quessé que j'pouvais y dire d'aut' ? » Je lui ai dit « C'est pas possible », tu vois, qu'est-ce que je pouvais lui dire d'autre ? « Tsé, j'ai pas ben l'goût. » J'ai pas très envie, tu sais. « Faut manger ses croûtes, tsé. » Faut faire ses preuves, quoi.

LA CROUSE – LA DRAGUE…
ET LES CHOSES DE L'AMOUR

Accoté (Être/Vivre)

Signification : Vivre en couple. Concubinage.

Mise en contexte : « Marc-André est accoté avec Chantal astheure. » Marc-André vit avec Chantal maintenant.

Autres significations :

- Être appuyé, s'accouder.
- Soutenir quelqu'un.
- Égaler quelqu'un ou quelque chose. Être à la hauteur.

Peut s'employer en verbe :

« Y'a pas personne qu'accote Céline Dion au Québec. » Personne n'arrive à la cheville de Céline Dion au Québec.
« Accote-toé pas sa table, ê brisée. » Ne t'accoude pas sur la table, elle est cassée.

Agace/Agace-pissette

Signification : Allumeuse. Femme qui aguiche.

Mise en contexte : « C't'une agace-pissette, ça fait trois gars de suite qu'a crouse. » C'est une allumeuse, ça fait trois types qu'elle drague à la suite.

Avoir son biscuit

Signification : Tremper son biscuit. Tirer son coup (vulgaire).

Origine : Pourrait venir du vieux français *tremper son pain au pot* (expression qu'on retrouve notamment chez Rabelais) et de *bistoquette* (*bistouquette* aujourd'hui), qui désignait la verge, dont la forme est assimilable à un boudoir, biscuit que l'on trempe.

Avoir un kick sur quelqu'un

Signification : Trouver quelqu'un à son goût. Avoir des atomes crochus. Avoir des vues sur quelqu'un.
Origine : De l'anglais *to get one's kicks (from someone/something).*
Mise en contexte : « Jean-René kick su toé. » Jean-René craque sur toi.

Kicker

Signification : Craquer/flasher sur quelqu'un.
Mise en contexte : « J'ai kické sur toi dès notre première date. » J'ai flashé sur toi dès notre premier rendez-vous galant.

Balloune/Être en balloune

Signification : Ventre de femme enceinte/Être enceinte.
Origine : De l'anglais *balloon* (ballon).
Mise en contexte : « Eille, belle balloune ! » Hey, belle bedaine (de femme enceinte). « Est en balloune. » Elle est enceinte.
Autres significations :

- Être gros, obèse. « Y'é gros comme une balloune. » Il est corpulent.
- Ballon de baudruche (voir balloune page 46).
- Partir sur une balloune : S'enivrer. Prendre une cuite. Se mettre minable.
- Vivre sur une balloune : Se bercer d'illusions.
- Péter la balloune de quelqu'un : Faire redescendre quelqu'un sur terre. Lui faire perdre ses illusions. Rabaisser ses prétentions.
- Souffler dans la balloune : Passer un alcootest.
- Péter la balloune : Avoir un résultat positif à l'alcootest.

Bec
Signification : Bise. Bisou.
Mise en contexte : « Mon neveu est chatouilleux, il part à rire chaque fois que je lui donne des becs dans l'cou. » Mon neveu est chatouilleux, il éclate de rire chaque fois que je lui fais des bisous dans le cou.
Donner un bec : Faire la bise.
Donner un gros bec : Embrasser très fort. « T'es don bin fine ! Viens t'en que je te donne un beau gros bec. » Comme t'es gentille ! Viens par ici que je t'embrasse bien fort.

Bec mouillé
Signification : Bise sur la bouche.
Mise en contexte : « Eurk, j'haï (prononcer ja-i) ça quand mon cousin veut toujours me donner des becs mouillés. » Berk, je déteste ça quand mon cousin essaie toujours de me faire des bises sur la bouche.
Information culturelle : Les Québécois se font rarement la bise. Lors d'un événement familial particulier ou dans un élan d'affection envers un proche ou quelqu'un qu'ils aiment et n'ont pas vu depuis longtemps, ils privilégieront l'accolade. Les hommes entre eux ne se font presque jamais la bise. On ne fait pas la bise aux gens qu'on ne connaît pas. Si vous faites la bise à un Québécois, il ne sera ni choqué ni dégoûté, juste surpris. Il soulignera alors peut-être votre nationalité avec une certaine ironie tendre, en imitant l'accent français : « Ha oui, c'est vrai, en France vous vous faites la biiize ! » À noter que dans une ville comme Montréal qui accueille beaucoup

d'immigrés français, l'usage de la bise tend à se répandre chez les Québécois ayant des amis français.

Blonde

Signification : Petite amie. Amoureuse.
Mise en contexte : « T'as-tu vu la nouvelle peignure de la blonde à Jean ? Ê rendue rousse avec un toupette astheure. » As-tu vu la nouvelle coiffure de la copine de Jean ? Elle est rousse avec une frange maintenant.
Information culturelle : Si vous épousez votre blonde, elle devient votre femme et cesse d'être une blonde. Comme en France, le Québec fait aussi des « jokes de blondes », des blagues sur les blondes, gaffeuses et intellectuellement limitées.

Casser

Signification : Rompre. Mettre fin à une relation amoureuse.
Mise en contexte : « Pierre-Luc pis moé on casse. » Pierre-Luc et moi on se sépare.

Chanter la pomme

Signification : Faire la cour. Conter fleurette. Flirter de façon romantique. Par extension, (ne pas) s'en laisser conter.
Origine : La pomme ferait référence au jardin d'Eden de la Bible, symbole de tentation exprimant dans cette façon de séduire le désir de goûter au fruit défendu - croquer la pomme - autrement dit, d'obtenir des plaisirs charnels.
Une autre version de l'origine donnée par l'historien québécois R.-L. Séguin explique que lors des « danses carrées » d'autrefois, les différentes manières de se tenir ou toucher les mains pouvaient servir de langage érotique et qu'une pression

particulière de la main du garçon sur la paume de la fille était une invitation à un rendez-vous galant. Une façon silencieuse de déjouer les chaperons. Avec le temps, un glissement vocalique aurait transformé le mot paume en pomme.
Mise en contexte : « Essaye-toé, mais chu pas mal certain qu'y s'laisseront pas chanter la pomme. » Tu peux essayer, mais je suis certain qu'ils ne s'en laisseront pas conter.

Chum

Signification : Ami(e).
Origine : De l'anglais *chum*, copain, camarade.
Mise en contexte : « Après la job chu allé rejoindre mon grand chum et sa gang de chums, c'était vraiment l'fun. » Après le travail, je suis allé rejoindre mon meilleur ami et sa bande de potes, c'était vraiment cool.
Usage : Nom masculin qui peut être féminisé « Ma chum ». Bien que l'article indique le genre, il n'est pas rare de préciser « ma chum de fille » ou « mon chum de gars ».
« J'ai une chum de fille qui a marié son chum du secondaire. » Une de mes amies a épousé son amoureux du collège. « Mes chums de filles ». Mes copines.

Chum (Mon)

Signification : Petit copain. Amoureux. Jules.
Mise en contexte : « Je te présente mon chum. » Je te présente mon copain. « J'ai vu Julie et son chum au centre d'achat. » J'ai vu Julie et son jules au centre commercial.
Usage : Toujours employé au masculin dans ce sens. « Ma chum » signifiera toujours mon amie et non mon amoureuse.

Pour parler d'un ami et enlever toute implication amoureuse, une fille précisera « mon chum de gars ». Mon ami.

Cliquer

Signification : Avoir des affinités avec quelqu'un. Bien s'entendre. Fonctionner. S'accorder. Correspondre.
Mise en contexte : « Ça cliqué entr'eux z'ôtes. » Ils se sont bien entendus.

Collé/Collé-Collé

Signification : Serré contre quelqu'un.
Mise en contexte : « Moi pis mon chum on a écouté un film collé-collé. » Moi et mon copain, on a regardé un film serrés l'un contre l'autre.
Autre signification : Tout près de quelqu'un ou de quelque chose.
Mise en contexte : « Laisse faire le métro, on va prendre une marche jusqu'au bureau de poste, on est collé dessus. » Laisse tomber le métro, on va aller à pied au bureau de poste, c'est tout près.

Colleux

Signification : Personne affectueuse, câline.
Mise en contexte : « T'es don bin chanceuse d'avoir un chum colleux d'même ! » T'en as de la chance d'avoir un copain aussi affectueux !
Autre signification : Personne collante, dont on ne parvient pas à se défaire.

Mise en contexte : « Mon mononcle est assez colleux. J'ai bin hâte qu'il rentre chez eux. » Mon oncle est envahissant. J'ai hâte qu'il rentre chez lui.

Crouser
Signification : Draguer. Flirter.
Origine : De l'anglais *to cruise*, naviguer, voyager. Chercher un partenaire sexuel.
Mise en contexte : « Je m'su faite crouser au bar. » Je me suis fait draguer au bar.

Date (prononcer à l'anglaise)
Signification : Rendez-vous galant, rencontre amoureuse, rancart.
Origine : De l'anglais *to date*, sortir avec quelqu'un.
Mise en contexte : « J'ai une date à soir. » J'ai un rancart ce soir.

Déniaiser
Signification : Décoincer quelqu'un de coincé. Délurer. Dépuceler. Rendre moins idiot.
Mise en contexte : « Y s'est faite déniaiser au bal des finissants. » Il a perdu son pucelage le soir du bal de promo.
Autre signification : Se grouiller. « Aweille, déniaise ! » Allez, grouille !

Domper
Signification : Jeter (à la poubelle), se débarrasser et, par extension, larguer son copain/sa copine.
Origine : De l'anglais *to dump*.

Mise en contexte : « J'ai dompé ma blonde. » J'ai largué ma copine.

Être en amour

Signification : Être amoureux.
Origine : De l'anglais *to be in love.*

- Être en amour par-dessus la tête : Être follement amoureux. « Manon est en amour par-dessus la tête. A mange pu, a dort pu, c't'un peu épeurant. » Manon est follement amoureuse. Elle ne mange plus, ne dort plus, c'est un peu effrayant.

Être en famille

Signification : Être enceinte.
Mise en contexte : « Ê tombée en famille. » Elle est enceinte.

Fourrer

Signification : Baiser (vulgaire).
Autres significations :

- Enfoncer, mettre, garnir.
- Arnaquer, duper, rouler, exploiter.
- Être perdu, se gourer.

Mise en contexte : « Me su fourré dans ma comptabilité. » Je me suis planté dans ma comptabilité. « Chu toute fouré. » Je suis perdu.

Se faire fourrer

Signification : Se faire baiser (sexuellement ou non). Se faire avoir.
Mise en contexte : « J'ai fourré Claude. » Selon le contexte, cela peut vouloir dire J'ai couché avec Claude ou J'ai arnaqué

Claude. « Il a payé sa minoune ben d'trop cher. Y s'est faite fourrer ben raide. » Il a payé son vieux tacot bien trop cher. Il s'est fait entuber en beauté.

Fourrer/Focker le chien

Signification : Perdre son temps. Glander.

Origine : De l'anglais *to fuck the dog*, ne rien faire, ne pas être productif.

Mise en contexte : « J'ai fourré l'chien tout l'avant-midi à essayer d'arranger la laveuse. » J'ai perdu ma matinée à essayer de réparer la machine à laver.

À noter : Cette expression n'a aucune connotation sexuelle.

Frencher

Signification : Embrasser avec la langue. Rouler une pelle/un patin.

Origine : De l'anglais *french kiss*.

Informations culturelles : Les Français ont encore la réputation d'être de chauds lapins, ceci explique peut-être que le baiser le plus « cochon » soit *french* !

Grande demande

Signification : Demande en mariage.

Mise en contexte : « Samuel a fait sa grande demande. Ça d'l'air qu'y vont se marier à Hawaï. » Samuel a fait sa demande en mariage. Apparemment, ils vont se marier à Hawaï.

Minouchages

Signification : Caresses, mamours.

Mise en contexte : « Eille les amoureux, ça va faire les minouchages devant le monde ! » Hé les amoureux, ça commence à bien faire vos tripotages en public !

Minoucher

Signification : Caresser, bécoter, cajoler.
Origine : Vient du mot *minou*.
Autre signification : Flatter quelqu'un.

- Se minoucher : Se caresser mutuellement. Se faire des mamours.

Pétard

Signification : Homme ou femme d'une grande beauté, très attirant(e). Canon. Bombe sexuelle.
Mise en contexte : « Check le beau pétard ! » Regarde le beau mec/la belle nana.

Pitoune

Signification : Jolie fille. Fille bien roulée. Bimbo.
Mise en contexte : « Check don la pitoune qui s'fait aller sa piss de danse. » Mate donc la jolie fille qui se la joue sur la piste de danse.
Usage : Le terme peut parfois être péjoratif et désigner une femme trop maquillée ou habillée vulgairement, avec mauvais goût.

Plotte

Signification : Sexe féminin. Vulve (vulgaire).
Origine : En France, on parlait autrefois des poils pubiens comme de la laine. Le pubis des hommes et des femmes était ainsi appelé *pelote*. Le mot a été déformé au fil du temps

pour devenir *plotte* et ne désigne plus aujourd'hui que le sexe de la femme.
Autres significations :
- Femme qui s'habille de façon provocante.
- Femme ayant de multiples partenaires sexuels.
- Prostituée.

Avoir la plotte à terre (vulgaire).
- Être épuisé, vidé, sans énergie.
- Ne pas avoir le moral. Être déprimé, découragé.

Plotte à bike/à tire
Signification : Femme (souvent du genre bimbo) attirée par les motards/les gars qui aiment les voitures.
Origine : De l'anglais *bike* (moto) et *tire* (pneu).
Attention : Tous ces termes sont très vulgaires.

P'tite gène (Se garder une)
Signification : Avoir un minimum de pudeur. Faire preuve de retenue.
Mise en contexte : « Arrête don d'êt'e colleux d'même avec le monde, garde-toi une p'tite gène ! » Arrête d'être aussi affectueux avec les gens, un peu de pudeur !
« Mélanie jase trop, c'est pas d'ses affaires, elle devrait se garder une p'tite gène. » Mélanie parle trop, ça ne la regarde pas, elle devrait faire preuve de plus de retenue.

S'adonner
Signification : Bien s'entendre.
Mise en contexte : « Aurélie s'adonne bien avec Marc. » Aurélie s'entend bien avec Marc.

Autres significations :

- Bien tomber, convenir. « Ça adonne bien que tu vendes ta caméra, j'ai brisé la mienne. » Ça tombe bien que tu vendes ton appareil photo, j'ai cassé le mien.
- Être favorable. « La neige adonne, c'est le temps de faire du skidoo. » La neige est bonne, c'est le moment de faire de la motoneige.
- Si ça adonne : Si ça convient. « On ira vous voir si ça adonne. » On passera vous voir si les circonstances le permettent.

Scorer

Signification : Séduire quelqu'un.
Origine : De l'anglais *to score*, marquer des points, gagner.
Mise en contexte : « Tu vas scorer, tu vas t'en pogner une ! » Tu vas y arriver, tu vas en avoir une (sous-entendu « Tu vas réussir à draguer une fille et à l'intéresser »). « – Y crousait au bar. – Y'as-tu scoré ? – Ça d'l'air que oui. » – Il draguait au bar. – Est-ce qu'il a réussi à conclure ? – On dirait bien que oui.

Straight

Signification : Hétérosexuel.
Origine : De l'anglais *straight*.
Mise en contexte : « Y'é-tu gay ou straight ? » Il est homosexuel ou hétérosexuel ?

Tomber en amour

Signification : Tomber amoureux.
Origine : De l'anglais *to fall in love*.

Mise en contexte: « Quand j'tombe en amour le cœur me débat, j'ai des papillons dans l'ventre et j'fais le tarla. » Quand je tombe amoureux, mon cœur s'emballe, j'ai des papillons dans le ventre et j'agis comme un idiot.

Tricotés serrés

Signification: Très proches. Avoir un lien fort avec un ami, un amoureux, une équipe, une communauté, etc.
Mise en contexte: « Ces trois-là sont tricotés serrés depuis le secondaire. » Ces trois-là sont très proches depuis le collège.

Voir quelqu'un dans sa soupe

Signification: Penser sans cesse à quelqu'un, être obsédé par une personne au point de la voir partout, même dans sa soupe! Être en admiration.
Mise en contexte: « C'te gars-là y m'fait capoter ben raide, c'est rendu que j'le vois dans ma soupe. » Ce mec-là, il me fait halluciner, j'en suis à le voir partout.

EXEMPLE DE DIALOGUE EN QUÉBÉCOIS – ET SA TRADUCTION!

– Savais-tu que Marie-Pier est pu avec Samuel?
– A s'est faite domper par son chum? Coudon! Ça fait trois fois c't'année. Y sais-tu quessé qu'y veut lui?
– Ça d'l'air qu'à s'est faite crouser par un bum au parté d'Halloween… est partie avec.

– Tu m'naises-tu? Donc c'est elle qui l'a laissé.
– Pantoute. A serait r'venue chez eux à matin pis Samuel y aurait dit: « Là ça va faire », pis il l'a crissée là.
– Ça faisait combien de temps qu'y étaient accotés ensemble?
– Trois ans. Y pensait faire sa grande demande.
– Pôve lui! Y doit être full triss.
– Ça doit.
– Y scorait en titi avant de s'accoter avec Marie-Pier. Y va se trouver une nouvelle blonde dans pas long.
– C'est sûr, y'é tellement fin.
– Mets-en! J'capote sur lui depuis le secondaire!
– Ben c'est l'temps de lui proposer une date!
– Arrête don, il est full straight ce gars-là.
– Ouin, y frenchait pas mal tout l'monde à la fête de Jacinthe.
– C'est juss qu'il en avait dans l'toupette.
– Pis ça? Me semble que je frenche pas mes chums de brosse quand chu pompette.
– Tu vas attendre longtemps qu'il sorte du garde-robe! C't'un méchant pétard qui pogne en masse avec les pitounes, y'aime ça les grosses boules, r'gard Marie-Pier.
– Les gay aussi aiment les boules.
– Ok d'abord, j'va m'essayer.

VERSION FRANÇAISE

– Marie-Pierre et Samuel ne sont plus ensemble, t'étais au courant?
– Elle s'est fait larguer par son copain? Sérieux! Ça fait trois fois cette année. Faudrait savoir ce qu'il veut.
– Apparemment, elle s'est faite draguer par un *bad boy* durant la fête d'Halloween… et elle est partie avec lui.
– Tu déconnes? Donc c'est elle qui a quitté Samuel.
– Non. Elle serait rentrée à la maison le matin et Samuel lui aurait dit: « Maintenant ça suffit », avant de la planter là.
– Ça faisait combien de temps qu'ils vivaient en concubinage?
– Trois ans. Il pensait lui faire sa demande en mariage.
– Le pauvre! Il doit être tellement triste.
– Sans doute.
– Il avait vraiment du succès avant de se mettre avec Marie-Pierre. Il ne mettra pas longtemps à se trouver une nouvelle copine.
– C'est clair, il est vraiment charmant.
– Tu m'étonnes! Je craque sur lui depuis le collège!
– Ben c'est le moment de lui proposer un rendez-vous!
– Dis pas n'importe quoi. Il est hétéro à donf ce mec.
– Mouais, il embrassait un peu tout le monde sur la bouche à l'anniversaire de Jacinthe.
– Il avait juste un coup dans l'nez.

– Et alors ? Je n'embrasse pas mes copains de biture sur la bouche quand je suis pompette.
– Tu vas l'attendre longtemps son *coming out*. C'est le genre de canon qui a un succès fou avec les jolies filles, il aime ça les gros seins, regarde Marie-Pierre.
– Les homos aussi aiment les seins.
– Bon d'accord, je vais tenter ma chance.

LE BONHOMME HIVER

« Que sert à l'homme de gagner l'univers
s'il n'a pas de culotte pour passer l'hiver? »

« Soignez un rhume, il dure 30 jours.
Ne le soignez pas, il dure un mois. »

« L'hiver, c'est plus chaud en bas de laine
qu'en bas de zéro. »

Dictons québécois

Banc de neige

Signification: Tas de neige pouvant atteindre plusieurs mètres de hauteur. Monticule accumulé naturellement ou par l'action d'un chasse-neige. Congère.

Origine: Contrairement à ce qu'on pourrait croire, ce terme ne vient pas de l'anglais *snow bank*; il était employé dans le nord de la France dès le XVIIIe siècle.

Mise en contexte: « Y'a des chars pogné dans l'banc d'neige, ça va pelleter à soir. » Il y a des voitures prises dans le tas de neige, les gens vont devoir pelleter ce soir (pour dégager la neige et pouvoir bouger les voitures).

Bordée de neige

Signification: Importante chute de neige.

Origine: Vient du terme nautique *bordée*, décharge simultanée de tous les canons du même bord d'un navire. En vieux français, le terme désignait par extension une averse abondante. Au Québec, le climat étant ce qu'il est, cela désigne une chute massive de neige.

Dépotoir à neige

Signification : Après avoir ramassé la neige dans les rues, les déneigeuses la déposent dans des espaces réservés à cet effet.
Mise en contexte : « Le dépotoir à neige est souillé de calcium et des abrasifs amassés par les grattes municipales. » La décharge à neige est souillée par le calcium et les abrasifs (répandus sur la neige pour la faire fondre et la rendre moins glissante) amassés par les déneigeuses municipales.

Frette

Signification (faux ami) : Très froid. Froid intense, à la limite du supportable.
Mise en contexte : « Brrr, qu'y fait frette à matin ! » Brrr, ça gèle ce matin !
Attention : Frette ne signifie pas frais.
Autre signification : Voir *frette* page 130.

Glace noire

Signification : Couche de glace assez fine qui laisse transparaître la couleur de la chaussée (souvent en bitume, d'où le qualificatif « noire »), ce qui la rend d'autant plus traître et dangereuse, car elle en devient presque invisible. Se produit lors de froids extrêmes.
Mise en contexte : « Radio circulation 730 AM : Attention ce matin à tous les automobilistes, présence de glace noire

partout sur le réseau et particulièrement au bord du fleuve, ralentissez votre vitesse. »

QUESTION DE TEMPÉRATURE !

Au Québec, pour se réchauffer à la *cabane à sucre* (voir mot page 126), on boit du gin dans de l'eau chaude et quand on a un petit coup dans le nez, on est « chaud ». En revanche, si vous fumez de la marijuana ou que vous êtes sous les effets d'une quelconque drogue, vous êtes « gelés ».

Le bonhomme hiver

Signification : Bonhomme de neige joyeux qu'on fait avec les enfants.

Neige fondante

Signification : Neige légère au point de fondre dès qu'elle touche le sol. C'est aussi la neige qui fond au printemps.

Neige mouillée

Signification : Voir *sloche* page 43.

Mise en contexte : « Ça prend de bonnes bottes de rubber pour marcher dans neige mouillée. » Il faut de bonnes bottes en caoutchouc pour marcher dans la neige mouillée.

Poudrerie

Signification : Neige très légère soulevée par le vent, entraînant une visibilité réduite comme en plein brouillard.

S'enfarger

Signification : Perdre l'équilibre. Butter, s'enfoncer. S'empêtrer dans quelque chose ou dans les difficultés.
Origine : Du vieux français *enfergier*, entraver (généralement un animal) avec des chaînes ou des fers.
Mise en contexte : « Me sut'enfargé dans l'banc d'neige ! » Je me suis empêtré dans le tas de neige ! « Ça donne rien de t'enfarger dans tes menteries, tu s'rais mieux de m'dire la vérité. » Tu t'empêtres dans tes mensonges pour rien, je te conseille de me dire la vérité (sous-entendu ne me prend pas pour un imbécile).
S'enfarger dans les fleurs du tapis : Compliquer les choses, se perdre dans les détails.

S'habriller

Signification : S'habiller chaudement. Se blottir sous les couvertures.

Sloche

Signification : Neige fondante, boueuse, gorgée d'eau, particulièrement glissante.
Origine : De l'anglais *sluch*.
Mise en contexte : « Me su enfargé en sortant de mon char à cause d'la sloche. » J'ai glissé en sortant de ma voiture à cause de la neige fondante.
Information culturelle : Neige qu'on retrouve particulièrement en ville, elle se liquéfie et se salit suite au passage des voitures. C'est aussi la neige de printemps, sale mais souvent bien accueillie, car elle indique le dégel et le retour imminent du beau temps.

Autre signification : Boisson rafraîchissante composée de sirop et de glace pilée.

EXEMPLE DE DIALOGUE EN QUÉBÉCOIS – ET SA TRADUCTION !

– Maudite tempête ! Yé tombé trente centimètres de neige c'te nuite au chalet, pis du grésil à part de t'ça pis, cerise sur le sundae, pu d'électricité à matin, faisait frette en maudit dans cabane faque laisse faire le skidoo et la pêche au trou, j'ai décidé de m'en r'tourner drette chez nous. Sua route, deux camions accidentés pis la dépanneuse du CAA avec, à cause que l'abrasif a pas encore été répandu pis qu'y'a d'la glace noire pas à peu près. J'étais chanceux d'avoir mon quat' par quat' et des tires (prononcer à l'anglaise) neufs sinon mon homme, je m'enfargeais dans l'ban d'neige certain.

– Parle-moi z'en pas ! Icitte à Québec y'a encore plusieurs milliers de foyers sans électricité astheure et avec la pluie verglaçante les services de transport scolaire sont annulés faque chu bon pour aller reconduire les flos à l'école à matin. Ça finit pu ! Chu-tu assez tanné de ce maudit chien sale d'hiver, rendu en avril pis j'ai toujours mes mitaines, mon cass et mon foulard ! Puuu caaapaaab !

VERSION FRANÇAISE

– Saleté de tempête ! Il est tombé trente centimètres de neige cette nuit au chalet, avec du grésil en plus et, cerise sur le gâteau, plus d'électricité ce matin, il faisait un froid de canard dans la maison alors laisse tomber la motoneige et la pêche au trou, j'ai décidé de rentrer directement chez moi. Sur la route, deux camions accidentés, dépanneuse du *Club automobile* (assureur) y compris, parce que les produits abrasifs (pour éviter de glisser sur la glace) n'ont pas été répandus et qu'il y a beaucoup de *glace noire* (voir mot page 41). J'avais vraiment de la chance d'avoir mon quatre quatre et des pneus neufs sinon, mec, c'est sûr que je me prenais une congère.
– M'en parle pas ! Ici à Québec il y a encore plusieurs milliers de maisons sans électricité et avec la pluie verglaçante, les transports scolaires sont annulés, ça veut dire que je vais devoir déposer les enfants à l'école ce matin. Ça n'en finit plus ! J'en ai ras le bol de ce putain d'hiver, on est en avril et j'ai encore mes gants, mon bonnet et mon écharpe. J'en peux pluuuuus !

LA VIE DE FAMILLE ET LA VIE À LA MAISON

Bain
Signification (faux ami) : Baignoire.
Origine : Pourrait venir de l'anglais *bath*, qui signifie aussi bien bain que baignoire.
Mise en contexte : « Un bain sur pattes ! T'as vraiment toute dans ton nouveau condo. » Une baignoire sur pieds ! Tu as vraiment tout dans ton nouvel appartement.

Balayeuse
Signification : Aspirateur.
Mise en contexte : « T'es dû pour passer la balayeuse, y'a de la poussière tout partout. » Tu dois vraiment passer l'aspirateur, il y a de la poussière partout.

Balloune
Signification : Ballon de baudruche tout particulièrement utilisé pour les anniversaires.
Origine : De l'anglais *balloon* (ballon).
Mise en contexte : « On sait c'est qui qui s'occupe des ballounes pour la fête à Matisse ? » Sait-on qui s'occupe des ballons pour l'anniversaire de Matisse ?

Barrer
Signification : Verrouiller, fermer à clef.
Mise en contexte : « J'ai barré la porte en m'en v'nant. » J'ai fermé la porte en sortant.

Bébé lala
Signification : Bébé Cadum. Pleurnichard.

Mise en contexte: « Fais pas ton Bébé lala. » Arrête de pleurnicher.
Être un bébé lala: Avoir une attitude puérile.

Bébelles

Signification: Trucs, affaires, machins. Jouets.
Mise en contexte: « Serre tes bébelles. » Range tes jouets.

Becquer bobo

Signification: Embrasser un bobo dans le but de consoler un enfant qui vient de se faire mal.
Mise en contexte: « Ayoye! Pôve toé! Viens t'en, je vais becquer bobo. » Aïe! Mon pauvre! Viens-là, je vais faire un bisou sur ton bobo.
Autre signification: Peut servir à ridiculiser ou taquiner quelqu'un qui se plaint sans cesse.
Mise en contexte: « Tu veux-tu que je te becque le bobo en plus? »
Usage: Terme enfantin.

Bol de la toilette

Signification: Cuvette des toilettes.
Origine: De l'anglais *toilet/lavatory bowl.*
Mise en contexte: « J'haï (prononcer j'a-i) laver le bol de la toilette. » Je déteste nettoyer les toilettes.

Bungalow

Signification: Petite maison de plain-pied dans un quartier résidentiel.

Mise en contexte : « Nancy et Jean-François ont acheté un bungalow à Laval. » Nancy et Jean-François ont acheté une maisonnette à Laval.

Cachette

Signification : Cache-cache.
Mise en contexte : « On joue-tu à cachette ? » On joue à cache-cache ?

Cadran

Signification (faux ami) : Réveil.
Crinquer un cadran.
Signification : Remonter un réveil/une horloge mécanique.
Origine : De l'anglais *to crank*, tourner la manivelle.
Mise en contexte : « C'est les matantes et les mononcles qui crinquent leur cadran astheur, nous z'aut'on a des cellulaires ! » Ce sont les beaufs et les ringardes qui remontent leur réveil aujourd'hui, nous on a des téléphones mobiles.

Calorifère

Signification : Radiateur.
Mise en contexte : « Ôte ton cass de sul calorifère, ça va y faire perdre ses pouèls. » Retire ton chapeau (en fourrure) du radiateur, ça va lui faire perdre ses poils.

Caméra

Signification (faux ami) : Appareil photo.
Mise en contexte : « Tu peux-tu poser devant ma caméra, je dois faire des portraits pour mon cours d'art ? » Tu veux bien poser devant mon appareil photo, je dois faire des portraits pour mon cours d'art ?

Attention : caméra signifie aussi caméra !

Catin

Signification (faux ami) : Poupée.
Origine : Vieux français, diminutif de *Catherine*, devenu un terme affectueux pour désigner une fille de la campagne puis, au Canada, en Acadie et en Louisiane, un mannequin de vitrine, une poupée.
Mise en contexte : « As-tu vu sa belle face de catin ? A devrait faire du cinéma. » Tu as vu son beau visage de poupée ? Elle devrait faire du cinéma.
Information culturelle : Au Québec, le terme « catin » employé dans le sens de « poupée » n'a aucune connotation sexuelle, il garde son sens enfantin.
Autres significations :

- Pansement.

Mise en contexte : « Me su coupé au doigt faque l'infirmière m'a faite une grosse catin. »

- Prostituée. Fille de mauvaise vie.

Champlure

Signification : Robinet.
Origine : Du vieux français *chantepleure*, petit robinet d'un tonneau de vin, de cidre ou de bière.
Mise en contexte : « Plouc, plouc, plouc fait la champlure qui coule. » Ploc, ploc, ploc fait le robinet qui fuit.
Usage : Le terme tombe en désuétude, vous le rencontrerez cependant si vous rénovez votre cuisine ou votre salle de bains au Québec !

Châssis
Signification : Fenêtre.
Mise en contexte : « Accote-toé dans l'châssis je vais te poser à contre-jour. » Appuie-toi contre la fenêtre, je vais te prendre en photo à contre-jour.
Attention : Ce terme tombe en désuétude.

Chaudière
Signification : Seau.
Origine : Vient du vieux français. Grand récipient en métal qui servait à faire chauffer ou bouillir les aliments, la lessive, ou toute autre chose. En France, le terme a été remplacé par *chaudron*, récipient plus petit en cuivre ou en fonte.
Mise en contexte : « Y'a tellement de bleuets dans le champ qu'on les ramasse à chaudière. » Il y a tant de *bleuets* (voir mot page 124) dans le champ qu'on les ramasse à plein seau.

Chouette
Signification : Terme affectueux employé pour les petites filles. Chérie, mignonne.
Mise en contexte : « Viens t'en ma chouette, m'en va t'donner un cadeau pour ta fête. » Viens par-là ma chérie, je vais te donner un cadeau pour ton anniversaire.

Condo
Signification : Appartements en copropriété. Immeuble d'habitation.
Origine : Abréviation du mot *condominium*.
Variation : Bloc appartement.

Faire/Donner la bascule

Signification : Lors des anniversaires, la personne fêtée est prise par les jambes et par les bras et balancée de gauche à droite au-dessus du sol ou lancée vers le plafond autant de fois qu'elle a d'années.
Mise en contexte : « On a fait la bascule pour les dix-huit ans de Laurence. »

Fête

Signification : Anniversaire.
Mise en contexte : « Bonne fête à Josée. » Joyeux anniversaire Josée.

Fleucher

Signification : Tirer la chasse d'eau aux toilettes. Rincer.
Origine : De l'anglais *to flush.*
Mise en contexte : « T'as encore oublié de fleucher ta toilette. » Tu as encore oublié de tirer la chasse.
Autres significations :

- Larguer quelqu'un.

Mise en contexte : « Me su faite fleucher par ma blonde. » Je me suis fait larguer par ma copine.

- Licencier.

Mise en contexte : « Son boss l'a fleuché. » Son patron l'a viré.

Flo

Signification : Jeune garçon, préadolescent, adolescent (familier).
Origine : Viendrait du breton *floc'h*, damoiseau, ou de l'anglais *fellow*, homme, garçon, compagnon.

Mise en contexte : « J'ai reconduit les flos au soccer. » J'ai déposé les gamins au foot.

LE NERF DE LA GUERRE

Pour apprendre la valeur du travail à leurs enfants, certains parents les encouragent très jeunes à gagner leur propre argent durant quelques heures ou jours pendant les vacances d'été. Il arrive ainsi dans les quartiers résidentiels de recevoir dans la boîte aux lettres un papier où un enfant d'une dizaine d'années explique son projet (je veux participer aux jeux de hockey de mon arrondissement et je dois « ramasser » de l'argent pour acheter mon équipement de hockey, je vous propose donc de venir tondre votre pelouse en juillet pour 35 dollars). Les plus petits, eux, vont presser des citrons et vendre ponctuellement dans la rue des verres de « limonade » (citronnade) à 1 ou 2 dollars.

Fournaise

Signification : Chauffage central, chaudière.
Mise en contexte : « Y fait chaud dans maison, j'ai baissé la fournaise. » Il fait chaud dans la maison, j'ai baissé le chauffage.

Hose

Signification : Tuyau d'arrosage.

Mise en contexte: « Pas capab d'arroser la cour, la hose est toute emberlificotaillée. » Impossible d'arroser le jardin, le tuyau d'arrosage est tout emberlificoté.

Lulus

Signification: Couettes (coiffure).
Mise en contexte: « Ma cousine m'a fait mes lulus. »

Manette

Signification: Télécommande.

Menterie

Signification: Mensonge pas très important.
Mise en contexte: « Arrête de conter des menteries. » Cesse de raconter des histoires.

Mettre (un enfant) en pénitence

Signification: Punir.
Mise en contexte: « Le petit dernier est toujours en pénitence. Il est malcommode. » Le petit dernier est toujours puni. Il n'est pas facile.

Moppe

Signification: Serpillière. Balais à franges.
Origine: De l'anglais *mop*.
Mise en contexte: « Diane a échappé sa tasse pis la mienne avec, y'a du café tout partout, ê vraiment due pour passer la moppe! » Diane a renversé sa tasse et la mienne, y'a du café partout, elle est bonne pour passer la serpillière!

Nanane

Signification: Friandise, bonbon, sucrerie (enfantin).

Origine : Vieux français.

Parade
Signification : Défilé.
Mise en contexte : « Eh qu'y'avait du monde à Parade du Père Noël ! » Ouf, y'avait du monde à la parade du Père Noël !

Parenté
Signification : Famille au sens large.
Mise en contexte : « La parenté est arrivée, le parté va commencer ! » La famille est arrivée, que la fête commence !

Passage
Signification : Couloir.
Mise en contexte : « Depuis que j'ai peinturé le passage en bleu poudre ça paraît pas mal plus grand. » Depuis que j'ai peint le couloir en bleu layette, ça semble beaucoup plus grand.

Patio
Signification : Terrasse, balcon.
Mise en contexte : « Tu les as pris où tes meubles de patio ? » Tu les as acheté où tes meubles pour la terrasse ?

Petit banc
Signification : Tabouret.

Pitou
Signification : Chien.
Autre signification : Quelqu'un qui fait pitié. « Pôve p'tit pitou, viens me voir. » Mon pauvre petit, viens par ici.

Pôle
Signification : Tringle.
Mise en contexte : « Quessé t'as mis sa pôle, est toute déwrenchée? » Qu'est-ce que t'as mis sur la tringle, elle est toute tordue?

Portique
Signification : Entrée/galerie extérieure, vestibule (intérieur).
Mise en contexte : « Laisse la pelle à neige sous le portique. » Laisse la pelle à neige dans la galerie extérieure.

Poste/Poss
Signification (faux ami) : Chaîne de télévision.
Mise en contexte : « C'est sur quel poss la quotidienne de Marina? » C'est sur quelle chaîne l'émission quotidienne de Marina?

450 (prononcer quatre cinq zéro)
Signification : Quartiers résidentiels autour de Montréal. Le chiffre 450 fait référence à l'indicatif téléphonique de ces quartiers.
Mise en contexte : « La vie en condo, pu capab! Pis je veux avoir une cour faque je suis déménagée dans le 450. » Je ne supporte plus la vie en appartement et je veux avoir un jardin, j'ai donc déménagé en banlieue.
Information culturelle : Le terme 450 est employé par ceux qui vivent à Montréal, avec une connotation doucement péjorative ou moqueuse, indiquant que les habitants de ces quartiers résidentiels mènent un gentil train-train quotidien entre boulot, école pour les enfants et tonte de pelouse le

dimanche. Le concept de banlieue et les phénomènes de violence qui peuvent s'y rattacher en France n'existent pas au Québec. Le 450 est synonyme de vie tranquille, plutôt familiale, pas franchement jet set ni très culturelle. Tout ce qui fait généralement fuir les jeunes de vingt ans qui rêvent de passer des nuits blanches au cœur de la grande ville !

Serrer

Signification : Ranger.

Mise en contexte : « Annie, ça fait deux fois que je te dis de serrer tes bottes d'hiver, y'en aura pas d'troisième ! » Annie, ça fait deux fois que je te dis de ranger tes bottes d'hiver, je ne le dirai pas trois fois !

Système de son

Signification : Chaîne stéréo.

Mise en contexte : « Ça c'est A1 (prononcer à l'anglaise ai ouane) comme système de son pour un cinéma maison. » Ça, c'est le top comme chaîne stéréo pour un home cinéma.

Ti-cul

Signification : Enfant, gamin (familier).

Mise en contexte : « J'étais encore rien qu'un ti-cul dans c'temps-là. » J'étais encore qu'un gamin à cette époque.

Information culturelle : Généralement utilisé de manière neutre, ce terme peut aussi avoir une connotation affective ou méprisante.

Tirer la chaîne

Signification : Tirer la chasse d'eau.

Mise en contexte: « Coudon, y'a-tu quéqu'un icitte qui tire la chaîne après avoir été à la toilette ! » Bon sang, est-ce qu'il n'y a personne ici pour tirer la chasse après être passé aux toilettes !
Usage: Le terme *fleucher la toilette* (voir page 51) est plus employé.

Vente de garage

Signification: Vide-greniers.
Mise en contexte: « L'année passée les ti-culs ont vendu de la limonade à toutes les ventes de garage. Faisait tellement chaud, y'ont faite assez d'argent pour s'acheter des patins à roues alignées usagés. » L'année dernière, les enfants ont vendu de la citronnade à chaque vide-greniers. Il faisait si chaud qu'ils ont gagné assez d'argent pour s'acheter des rollers d'occasion.

Vidanges

Signification: Poubelles, ordures, déchets.
Mise en contexte: « Va vite porter les vidanges, le camion à vidanges s'en vient. » Va vite déposer les poubelles, la benne à ordures arrive.

À LA JOB – AU TRAVAIL… ET À L'ÉCOLE

5 à 7

Signification (faux ami) : Aller boire un verre après le travail avec ses collègues, généralement le jeudi, entre dix-sept et dix-neuf heures. Se dit aussi lors d'une sortie entre amis, d'une réception, d'un vernissage, etc. à ces mêmes heures. Heures de l'apéro.

Mise en contexte : « Me semble que ça fait longtemps qu'on s'est vu. On se fait-tu un 5 à 7 la semaine prochaine ? » Ça fait longtemps qu'on ne s'est pas vu. On va se prendre un verre la semaine prochaine (sous-entendu après le travail ou en fin de journée entre cinq et sept heures) ?

Aiguisoire/Aiguise-crayons

Signification : Taille-crayon.

Bal des finissants

Signification : Bal de fin d'études. Bal de promo, bal de fin d'année.

Information culturelle : Tradition qui marque la terminaison d'un cycle, ce bal a généralement lieu à la fin des études secondaires (équivalent du lycée). Les finissants habillés de robes de gala et de tuxedos (smokings) ont autour de dix-sept ans et c'est pour eux et leurs parents fiers et émus un événement social et symbolique très important, une sorte d'émancipation et de rite de passage de l'adolescence vers la vie adulte. Le bal est généralement organisé dans une salle de réception ou dans un hôtel. Les participants élisent un roi et une reine et il n'est pas rare qu'après la soirée il y ait *un after* où souvent l'alcool coule à flots et entraîne parfois certains dérapages.

Boîte à lunch

Signification : Petite boîte ou sac (isotherme ou non), dans lequel les travailleurs et les écoliers transportent leur repas du midi et/ou leur goûter. À noter que les cantines (*cafétérias* en québécois) sont rares dans les écoles.

Origine : De l'anglais *lunchbox.*

Mise en contexte : « Crinque le cadran une demi-heure d'avance, je dois faire les boîtes à lunch des enfants. » Mets le réveil une demi-heure plus tôt, je dois préparer le repas de midi que les enfants emporteront à l'école.

Boîte à malle

Signification : Boîte aux lettres.

Boîte vocale

Signification : Répondeur.

Mise en contexte : « Si t'es pas capab de m'rejoindre, laisse un message sua boîte vocale. » Si tu n'arrives pas à me joindre, laisse un message sur mon répondeur.

Broche

Signification (faux ami) : Agrafe.

Mise en contexte : « Me su rentré une broche au complet dans le doigt. Maudit que ça fait mal ! » Je me suis rentré une agrafe dans le doigt. Putain, ça fait mal !

Brocheuse

Signification : Agrafeuse.

Bumper (Se faire)
Signification : Au travail, perdre son poste au profit d'une personne ayant plus d'ancienneté ou de diplômes. Se faire rétrograder.
Origine : De l'anglais *bumper*, pare-chocs.
Mise en contexte : « Éric est en beau joualvert, y s'est faite bumper à job par un frais chié plus diplômé mais incompétent. » Éric est vraiment en colère, il s'est fait rétrograder au boulot par un prétentieux plus diplômé mais incompétent.

Cahier/Reliure à anneaux
Signification (faux ami) : Classeur.

Cahier à l'encre ou cahier Canada
Signification : Sorte de cahier de brouillon d'une trentaine de pages, avec des feuilles minces, lignées ou quadrillées et perforées par trois trous pour pouvoir être détachées et mises dans un classeur.

Canceler
Signification : Annuler.
Origine : De l'anglais *to cancel*.
Mise en contexte : « Je dois canceler la réunion d'équipe de mercredi car j'ai enfin mon rendez-vous chez l'chirurgien. Ça fait huit mois que j'attends pour céduler l'opération de ma hanche. » Je dois annuler la réunion de travail de mercredi car j'ai enfin reçu ma convocation chez le chirurgien. Ça fait huit mois que j'attends pour fixer une date pour l'opération de ma hanche. »

Cartable

Signification (faux ami) : Classeur.

Mise en contexte : « Le cartable bleu c'est pour les factures, le blanc c'est pour les bons de commande. » Le classeur bleu, c'est pour les factures, le blanc, pour les bons de commande.

Carte d'affaires

Signification : Carte de visite.

Origine : De l'anglais *business card*.

Mise en contexte : « Impression en relief, effets métallisés, personnalisez vos cartes d'affaires avec une vaste sélection de finis à votre disposition. »

STUPEUR ET TUTOIEMENT

Au Québec, on tutoie beaucoup, ses supérieurs hiérarchiques, sa banquière, son comptable, l'épicier, l'inconnu qui demande son chemin. Cette particularité vient de la langue anglaise moderne où seul existe le tutoiement (*you*). Le vouvoiement est généralement réservé aux personnes âgées. Il peut être obligatoire dans certaines écoles. Dans le milieu des affaires cependant, le vouvoiement est de plus en plus utilisé. Si vous avez l'accent français, il y a de fortes chances qu'on vous vouvoie plus souvent.

Cédule

Signification : Planning, calendrier, programme, horaire, emploi du temps.
Origine : De l'anglais *schedule*.
Mise en contexte : « Ma cédule est moins chargée pendant le temps des Fêtes. » Mon emploi du temps est moins chargé entre Noël et le premier de l'an. « Demande au guichet la cédule des bus pour Ottawa. » Demande au guichet l'horaire des bus pour Ottawa.

Céduler

Signification : Planifier. Fixer une date, une heure. Prévoir, inscrire, mettre dans le calendrier ou le planning.
Origine : De l'anglais *to schedule*.
Mise en contexte : « On est cédulé à dix heures pour l'entrevue avec la journaliste de *La Presse*. » Nous avons rendez-vous avec la journaliste du journal *La Presse* à dix heures.

Cégep

Signification : Collège d'enseignement général et professionnel propre au Québec, n'existe pas dans le reste du Canada. Le cégep correspond au lycée.
Mise en contexte : « J'penserais pas d'aller à l'université après le cégep, j'va m'trouver une jobine pour faire d'l'argent pis voyager en Europe. » Je ne pense pas aller à l'université après le lycée, je vais me trouver un petit boulot pour gagner de l'argent et voyager en Europe.

Cellulaire/Cell

Signification : Téléphone mobile, portable.

Origine : De l'anglais *cellular telephone.*
Mise en contexte : « Appelle-moi sur mon cell demain dans l'avant-midi qu'on cédule ça. » Appelle-moi sur mon mobile demain matin qu'on planifie ça.

Classeur

Signification (faux ami) : Meuble de bureau à tiroirs, en bois ou en acier, dans lequel on classe les chemises suspendues contenant des documents.
Mise en contexte : « J'ai serré les contrats dans le classeur. » J'ai rangé les contrats dans l'armoire de classement.

Close

Signification : (Faire la) fermeture (d'un lieu).
Origine : De l'anglais *to close.*
Mise en contexte : « Attends-moi pas pour le souper, je fais le close à soir. » Ne m'attends pas pour le repas, je fais la fermeture ce soir.

Coffre/Étui à crayons

Signification : Trousse.

Collation

Signification : Casse-croûte rapide mangé hors des heures de repas. Goûter des enfants.
Mise en contexte : « Pour être en santé mes flos mangent une pomme pour leur collation à toué jours. » Pour être en bonne santé, mes enfants mangent une pomme au goûter tous les jours.

Crayons/Craies de cire
Signification : Pastels gras.
Mise en contexte : « Le temps d'y faire sa collation Alexandre a dessiné à la craie de cire sul mur que je viens juste de peinturer. Chu ben tannée. » Le temps de lui faire son goûter, Alexandre a dessiné au pastel gras sur le mur que je viens juste de peindre. Je suis découragée.

Crayon de plomb/à mine
Signification : Crayon à papier. Crayon de bois.
Mise en contexte : « Me su fourré dans mes chiffres, une chance que j'ai écrit au crayon d'plomb, passe-moé l'efface. » Je me suis planté dans mes chiffres, par chance j'ai écrit au crayon à papier, passe-moi la gomme.

Duo-tang
Signification : Chemise, pochette cartonnée avec trois attaches parisiennes au centre pour attacher des documents et parfois des rabats de chaque côté de la couverture pour glisser des feuilles. Plus souple, moins gros, moins lourd et moins encombrant qu'un classeur.
Origine : Le nom vient de la première société à fabriquer ces pochettes.

Efface (une)
Signification : Gomme.
Mise en contexte : « Prends ton efface pour corriger pis arrête de mâcher ta gomme la bouche ouverte, tu m'énârves ! » Prends ta gomme pour corriger et arrête de mâcher ton chewing-gum la bouche ouverte, tu m'énerves !

Attention : À ne pas confondre avec *une gomme*, qui signifie « chewing-gum ».

Être brûlé

Signification : Être épuisé.
Origine : De l'anglais *burn out*.
Mise en contexte : « On a passé toute la journée pis toute la nuite à relancer le système informatique, chu brûlé. » On a passé la journée et la nuit à relancer le système informatique, je suis mort.
Se brûler : Se tuer à la tâche. Trop travailler.

Être dans l'jus

Signification : Être débordé, dépassé par les événements, en retard.
Mise en contexte : « Chu dans l'jus, je dois préparer l'entrevue avec mon invité et y m'ress juss une heure avant d'être en onde. » Je suis débordé, je dois préparer l'interview de mon invité et il me reste juste une heure avant d'être à l'antenne.

Fin de semaine

Signification : Week-end.
Origine : Francisation du terme anglais *week-end*.
Mise en contexte : « On passe la fin de semaine au chalet, c'est pas encore la période des maringouins. » On passe le week-end au chalet, c'est pas encore la période des moustiques.

Garderie

Signification : Crèche privée ou semi-privée. La maternelle telle qu'on la connaît en France n'existe pas au Québec. Les enfants vont à la garderie jusqu'à quatre ans. Ils entrent à la maternelle à cinq ans puis à six ans, ils entrent en première année de primaire.

Graduer
Signification (faux ami) : Décrocher un diplôme.
Origine : De l'anglais *graduate*.
Mise en contexte : « J'ai gradué l'année passée. » J'ai eu mon diplôme l'année dernière.

Happy hour
Signification : Durant les *5 à 7* (voir mot page 58), les bars font des promotions. Généralement, pendant une ou deux heures, vous obtenez deux mêmes consommations pour le prix d'une. Certains établissements font aussi des prix spéciaux sur les ailes de poulet, les nachos, les rondelles d'oignon frites et autres amuse-gueules habituellement consommés pendant les 5 à 7.
Origine : Vient de l'anglais. L'expression était employée par les Marines de l'US Navy dans les années vingt pour désigner leur heure de quartier libre. Durant la Prohibition, les Américains des États-Unis, ne pouvant plus consommer d'alcool au restaurant, se sont mis à boire dans des lieux clandestins avant de sortir dîner, c'était « l'heure heureuse » à la fin du travail et avant le repas !

Job (une)
Signification : Travail.
Origine : De l'anglais *job*.

Mise en contexte : « Ils font du yoga sur chaise sua pause du midi à sa job. » Sur son lieu de travail, ils font du yoga sur chaise durant la pause de midi.

Jobine

Signification : Petit boulot souvent peu valorisant. Travail d'appoint.

Mise en contexte : « A fait des jobines pour êt'e capab payer ses études. » Elle fait des petits jobs pour réussir à payer ses études.

La malle

Signification : La poste.

Mise en contexte : « Je dois passer à la malle faire étamper ma lett'e ». Je dois passer à la poste pour faire affranchir ma lettre.

Maller

Signification : Poster.

Mise en contexte : « M'aller maller ma lett'e. » Je vais aller poster ma lettre.

Papier collant/Rouleau de papier collant

Signification : Scotch. Ruban adhésif.

Origine : De l'anglais *scotch tape*.

Parté de bureau

Signification : Fête, soirée avec ses collègues de bureau, généralement organisée par l'entreprise.

Origine : De l'anglais *party*.

Mise en contexte : « C'qui s'passe au parté de bureau reste au parté de bureau… » En effet, il arrive que certains employés abusent un peu trop de l'alcool ou que des collègues qui s'attirent approfondissent leur relation professionnelle… et beaucoup plus si affinités !

Informations culturelles : La grande période des partés de bureau est à Noël. L'entreprise réserve au restaurant et offre le repas de fête à ses employés ou organise une soirée dans ses locaux ou en louant une salle. Certaines entreprises (celles qui ont généralement un espace extérieur ou une terrasse) organisent aussi un barbecue au printemps où sont traditionnellement consommés des hot-dogs, des chips et du soda. Il arrive également que le propriétaire de l'immeuble offre un barbecue aux employés des entreprises louant ses locaux.

DE L'IMPORTANCE D'ÊTRE CONCILANT

La société française a un tempérament plus violent que la société québécoise, qui prône la conciliation. Peut-être est-ce pour cela que les Français ont fait la Révolution en coupant la tête de leurs rois alors que les Québécois se sont libérés de la domination anglophone et ecclésiastique sans heurts majeurs lors de la Révolution Tranquille. Au Québec, il importe d'entretenir des rapports sociaux harmonieux. Si vous intégrez une entreprise par exemple, vos diplômes pèseront moins dans la balance que votre capacité à bien vous entendre avec vos collègues. C'est un trait nord-américain qui juge les conflits comme un manque de maîtrise de soi. Cette volonté d'entretenir des rapports positifs se reflète dans la langue ainsi, un Québécois ne vous demandera pas « Comment allez-vous? », mais il vous dira « Ça va bien? » Il n'emploiera jamais le « non » mais plutôt « ouin (oui dubitatif), sauf que… » ou « c'est très bien, mais… ». D'une façon plus détournée, il ne dira pas « elle est belle » mais « est pas laite (laide) », « c'est pas fou » (c'est pas idiot). Bien que tournée à la négative, cela reste une façon conciliante de ne pas affirmer afin de ne pas trop s'engager, au cas où l'autre serait d'un avis différent, car le Québécois ne cherche pas à convaincre l'autre qu'il a tort, il accepte qu'une opinion soit différente de la sienne et, du moment qu'on lui permet de penser ce qu'il veut, avoir raison lui importe généralement peu… ce qui n'est pas toujours le cas du Français!

Sac d'école
Signification : Cartable.
Mise en contexte : « Enlève ton sac d'école de sul comptoir. » Retire ton cartable du comptoir de la cuisine.

Secondaire
Signification (faux ami) : Collège.
Mise en contexte : « J'ai connu mon grand chum au secondaire 3. » J'ai rencontré mon meilleur ami en troisième au collège.

Séparateur
Signification : Intercalaire.
Autre terme moins employé : Diviseur.

Soute
Signification : Costume. Vêtement de travail. Uniforme (serveurs, infirmières, ouvriers…).
Origine : De l'anglais *suit*.
Mise en contexte : « Y'enlève sa soute à l'usine parc'qu'est trop sale pour qui s'asseye dans l'auto avec. » Il enlève sa combinaison de travail à l'usine parce qu'elle est trop sale pour qu'il puisse s'asseoir avec dans la voiture.

Suite
Signification : Bureau (le lieu).
Origine : Vient de l'anglais.
Mise en contexte : « Ma compagnie est au 3158 Sainte-Catherine Ouest, suite 407. » Ma compagnie est au 3158 rue Sainte-Catherine Ouest, bureau 407.
Information culturelle : On trouve généralement des suites dans les gratte-ciel ou les immeubles regroupant plusieurs entreprises, les numéros des suites permettant de les distinguer et de savoir à quelle porte frapper dans un couloir qui en offre un certain nombre. À noter que le numéro de la suite indique aussi l'étage. Ainsi, la suite 407 est au quatrième étage.

Tablette
Signification (faux ami) : Bloc-notes.
Tablette à l'encre : Bloc-notes ligné ou quadrillé.
Tablette Alouette : Bloc-notes avec des feuilles de couleur.
Autre signification : Étagère. Voir *bière tablette* page page 122.

Tape

Signification : Scotch.

Origine : De l'anglais *scotch tape*.

Mise en contexte : « Y'a enroulé l'tape autour d'la boîte avant d'la mettre dans malle. » Il a scotché le paquet avant de le mettre dans la boîte aux lettres.

LE VOYAGEMENT – LES DÉPLACEMENTS

Arrêt
Signification : Stop (panneau de signalisation).

Auto-patrouille
Signification : Voiture de police.
Origine : De l'anglais *patrol car.*
Mise en contexte : « Un homme a foncé dans une auto-patrouille juss en avant de chez nous. » Un homme a foncé dans une voiture de police juste devant chez moi.

Avoir son voyage
Signification : En avoir assez, ras le bol. Être dégoûté, voire écœuré.
Mise en contexte : « J'penserais pas que j'vais garder cette job-là, ça fait un boutte que j'ai mon voyage. » Je ne pense pas garder ce travail, ça fait un moment que j'en ai marre.
Autre signification : C'est fou, incroyable ! On aura tout vu ! Ne pas en revenir. Sert à marquer un profond étonnement, positif ou négatif.
Mise en contexte : « Ben voyons don ! Dis-moi pas qu'il a obtenu un Olivier, yé pas drôle pantoute c'te gars-là. J'ai mon voyage ! » Ben ça alors ! Ne me dit pas qu'il a obtenu un Olivier (équivalent des Césars pour les humoristes), il n'est pas drôle du tout ce mec. J'en reviens pas !

Bazou
Signification : Vieille voiture. Guimbarde démodée qui a fait son temps mais qui roule encore.

Mise en contexte : « Sont-tu beaux les bazous à Cuba! » Qu'est-ce qu'elles sont belles les vieilles voitures à Cuba!

Bicycle/Bicyc/Bécique

Signification : Bicyclette. Vélo.
Origine : De l'anglais *bicycle*.
Mise en contexte : « Me su t'acheté un nouveau bécique. » Je me suis acheté un nouveau vélo.

Bicyc/Bécique à gaz

Signification : Moto.
Mise en contexte : « On a faite une ride (prononcer « raïde ») en bécique à gaz tout le long du canal Lachine, c'était ben l'fun! » On a fait une balade à moto le long du canal Lachine, c'était cool!

Boucane

Signification : Fumée.
Mise en contexte : « Y'a don bin d'la boucane qui sort de ton bécique à gaz, fa don checker ça par le garagiss. » Ta moto fait beaucoup de fumée, fais-la donc vérifier par le garagiste.

Brake (prononcer à l'anglaise)

Signification : Frein.
Origine : Vient de l'anglais.
Mise en contexte : « Pèse sul brake astie, on va pogner l'champ! » Freine bordel, on va finir dans le décor!

Brake à bras

Signification : Frein à main.
Origine : De l'anglais *handbrake*.

Mise en contexte: « À San Francisco quand t'es parqué dans pente t'es mieux de clencher le brake à bras. » À San Francisco, quand t'es garé en côte, t'as intérêt à mettre le frein à main.

Bumper (prononcer à l'anglaise)
Signification: Pare-chocs.
Origine: Vient de l'anglais.
Mise en contexte: « Y'é toute poqué ton bumper! » Il est tout cabossé ton pare-chocs!

CAA
Signification: Club automobile.
Origine: De l'anglais *Canadian Automobile Association.*
Information culturelle: Organisme à but non lucratif qui assure les conducteurs et fournit à ses adhérents assistance routière, dépannage en cas de panne et d'accident, services et conseils dans le domaine de l'automobile. Le CAA défend également les intérêts des automobilistes concernant la sécurité et les infrastructures routières, le prix de l'essence, etc.

Cap de roues
Signification: Enjoliveurs.
Origine: De l'anglais *wheel cap.*
Mise en contexte: « Chu pas chanceux, j'ai perdu un cap de roue. » Je n'ai pas de chance, j'ai perdu un enjoliveur.

- Sur les caps de roues: Sur les chapeaux de roue. À grande vitesse.

Mise en contexte: « Y'était fâché, y'est parti su é caps de roues. » Il était fâché, il est parti à toute vitesse.

Char

Signification (faux ami) : Voiture.

Mise en contexte : « Tu vas-tu acheter un nouveau char ou faire une location ? » Tu vas t'acheter une nouvelle voiture ou faire du leasing ?

Manger un char : Sous-entendu « un char de marde ». Manger une voiture de merde. Insulte.

Charrue

Signification : Chasse-neige.

Mise en contexte : « Mausus de charrue, j'ai pelleté devant ma porte pis a m'a toute poussé sé marches. » Saleté de chasse-neige, j'ai pelleté la neige devant ma porte et elle m'a tout remis sur les marches.

Chauffer

Signification : Conduire.

Origine : Du temps des locomotives à vapeur, on enfournait du charbon dans la chaudière pour faire chauffer l'eau et avancer.

Mise en contexte : « À campagne faut mettre ses hautes quand on chauffe la nuite. » À la campagne, il faut mettre ses feux de route quand on conduit la nuit.

Clencher

Signification : Accélérer, en voiture ou ailleurs.

Origine : De l'anglais *to clench*, serrer.

Mise en contexte : « Enweille, clenche si tu veux le dépasser astheure ! » Allez, accélère si tu veux le dépasser !

Dash
Signification : Tableau de bord d'un véhicule.
Origine : De l'anglais *dashboard*.
• Fesser dans l'dash : Impressionner. Flasher.
Mise en contexte : « Wow ! Une camisole orange, des pantalons bleus pis des espadrilles vertes, ça fesse dans l'dash ! » Whaou ! Un top orange, un pantalon bleu et des tennis vertes, ça flashe !

Dix-roues
Signification : Camion. Semi-remorque.

Faire du pouce/Sul pouce
Signification : Faire du stop.
Mise en contexte : « Il a fait Vancouver-San Diego sul'pouce. » Il est allé de Vancouver à San Diego en stop.

Faire spinner les pneux
Signification : Patiner, avec un véhicule.
Mise en contexte : « Arrête don de clencher, t'es sul verglas, tu fais ienqu'à spinner les pneux ! » Arrête d'accélérer, t'es sur du verglas, tu vois bien que tu patines !

Flat
Signification : Crevaison.
Mise en contexte : « J'ai pogné un flat en m'en v'nant, chu sur l'spare (prononcer en anglais). » J'ai crevé en venant, j'ai mis la roue de secours.

Gazer
Signification (faux ami) : Faire le plein d'essence.

Origine : De l'anglais *gas/gasoline*.
Mise en contexte : « Je vais souvent gazer mon char au dépanneur coin Rosemont et Beaubien, y'é ouvert 24/7. » Je vais souvent faire le plein d'essence chez l'épicier (qui fait parfois aussi office de station-service) au coin des rues Rosemont et Beaubien, il est ouvert vingt-quatre heures sur vingt-quatre et sept jours sur sept.

Gratte
Signification (faux ami) : Chasse-neige. Déneigeuse.
Mise en contexte : « Laisse faire le pelletage, les grattes municipales vont passer cette nuite. » Inutile de pelleter la neige, les déneigeuses municipales vont passer cette nuit.

Les bœufs (prononcer les beus)
Signification : Les flics.
Mise en contexte : « Maudits bœufs ! J'ai encore pogné un tiquette de vitesse ! » Foutus flics ! J'ai encore attrapé une contravention pour excès de vitesse !

Licence
Signification : Permis de conduire.
Origine : De l'anglais *driver's license*.
Mise en contexte : « J'ai pogné un tiquette de 162 piasses pis 3 points d'inaptitude sur ma licence à cause que j'ai passé à la lumière rouge. » Je me suis pris un PV de 162 dollars et 3 points sur mon permis de conduire parce que j'ai grillé un feu rouge.
Information culturelle : Au Québec, on « gagne » des points d'inaptitude à chaque infraction et au bout d'un certain nombre, on perd son permis. Ces points restent inscrits sur

votre dossier de conduite durant deux ans. Tous les ans, les Québécois payent pour renouveler leur permis et conserver « le privilège de conduire ». Le tarif augmente en fonction de leurs points d'inaptitude, ce qui en plus de l'amende initiale finit par revenir cher. Le Québec a de plus passé des accords avec l'Ontario, le Maine et l'État de New York afin que toute infraction faite dans ces provinces et États soit considérée de la même façon que si elle avait été faite au Québec.

Passer ses licences

Signification : Décrocher le permis de conduire.
Origine : De l'anglais *to pass*, réussir un examen.
Mise en contexte : « J'va pouvoir prendre le char de p'pa astheur que j'ai passé mes licences. » Je vais pouvoir prendre la voiture de papa maintenant que j'ai réussi à avoir mon permis.
Information culturelle : Au Québec, la conduite commence à seize ans avec un permis d'apprenti-conducteur. Vient ensuite le permis probatoire puis le permis de conduire.

Lift

Signification : Conduire/reconduire quelqu'un ou se faire conduire/reconduire par quelqu'un.
Origine : De l'anglais *lift*, voyage gratuit dans le véhicule d'une autre personne.
Mise en contexte : « On rencontre nos commanditaires demain à Toronto, t'as-tu besoin d'un lift ? » On a rendez-vous avec nos sponsors demain à Toronto, as-tu besoin que je t'y conduise ?

VOYAGER AU QUÉBEC

Une des premières particularités qui étonne le voyageur dans la navette ou le taxi qui l'amène de l'aéroport à sa destination, ce sont les panneaux de signalisation « Arrêt » en lieu et place des panneaux « Stop ». Pourtant, une majorité de termes concernant l'automobile au Québec sont des anglicismes. Ce paradoxe n'est qu'un exemple parmi d'autres de la réalité complexe de cette enclave francophone nord-américaine, cernée par un monde anglophone et forcément influencée par lui, mais ayant su pourtant, avec courage et ténacité, préserver son essence, sa culture et son identité francophone.

En dehors des grandes villes québécoises, les transports en commun sont très peu développés comparé à l'Europe. Montréal est la seule ville du Québec à posséder un métro et un train de banlieue, et comparé à Paris, ils sont extrêmement peu développés. Le réseau de bus montréalais, en revanche, s'étend partout et les bus circulent dans toutes les conditions météorologiques.

Quant au train, il sert surtout au transport de marchandises, est très lent et plutôt cher pour le voyageur. Un seul train par jour va à New York. Quand tout va bien, il met onze heures pour parcourir les six cents kilomètres menant à la Grosse Pomme. Heureusement, les banquettes sont larges et confortables, la vue sur le fleuve Hudson superbe et les prises électriques et le Wi-Fi permettent de passer le temps en attendant qu'au milieu de nulle part, le train s'arrête pour faire monter les douaniers qui vous contrôleront dans votre wagon même. Une expérience à vivre une fois si vous disposez d'un peu de temps, pour le paysage et l'arrivée à Grand Central Station.

Montréal devrait se doter d'ici les prochaines années d'un « métro de surface électrique » reliant la Rive-Sud, la Rive-Nord, l'aéroport et la pointe ouest de l'île, mais en attentant, on comprend que dans un pays aussi grand et si mal desservit, la voiture soit aux Nord-Américains ce qu'étaient les chevaux aux premiers colons: un symbole de liberté et un outil indispensable pour parcourir ces territoires gigantesques. L'Européen envisage souvent mal les distances et arrive généralement avec un programme surréaliste où il pense visiter Montréal, la ville de Québec, faire un tour en Gaspésie, voir Ottawa, Toronto, les chutes du Niagara et peut-être passer un week-end chez les voisins à New York, tout ça en trois semaines alors que cela représente environ 3 500 kilomètres à parcourir.

Mappe

Signification : Carte routière.

Origine : De l'anglais *map*.

Mise en contexte : « Ok Google, centre d'achat de Lapinière… Ben là, yé pas sa mappe! » Ok Google, centre commercial de Lapinière... Comment ça, ça n'est pas sur la carte!

Minoune

Signification : Vieille voiture.
Mise en contexte : « Y collectionnent les minounes eux z'ôtes. » Ils collectionnent les vieilles voitures.
Autres significations :

- Chatte (sexe de la femme).
- Prostituée.

Miroir

Signification : Rétroviseur.
Origine : De l'anglais *mirror.*
Mise en contexte : « J'ai posé ma maison dans miroir de mon char. » J'ai pris une photo de ma maison dans le rétroviseur de ma voiture.

Muffler

Signification : (Le silencieux du) pot d'échappement.
Origine : De l'anglais *muffler.*
Mise en contexte : « Après mon accident mon muffler traînait à terre. » Après mon accident, mon pot d'échappement traînait au sol.

Parcomètre

Signification : Parcmètre.
Mise en contexte : « Avec l'application *Service mobile* de *Stationnement de Montréal*, tu peux payer ton parcomètre avec ton cellulaire peut importe où t'es. » Avec l'application

Service mobile de *Stationnement de Montréal*, tu peux payer ton parcmètre avec ton mobile où que tu sois.

Peser sul gaz
Signification : Appuyer sur l'accélérateur.
Mise en contexte : « Si tu t'ostines à peser sul gaz tu vas te faire pogner par une police. » Si tu t'entêtes à accélérer tu vas te faire choper par un flic.

Pogner l'champ
Signification : Faire une embardée.
Mise en contexte : « Un chevreuil a sorti du bois devant son char faque y'a pogné l'champ. » Un chevreuil est sorti du bois devant sa voiture, ça lui a fait faire une embardée.

Police (une)
Signification : Un policier, une policière.
Mise en contexte : « Y'a une police cachée dans le détour, a donne des tiquettes. » Il y a un flic caché dans le virage, il met des contraventions.

Poque
Signification : Bosse. Marques.
Origine : De l'anglais *poke*.
Mise en contexte : « J'haï ça chauffer dans l'bois, j'ai des poques sul bumper à cause que j'ai pogné un chevreuil, pôve bête, pis moé je m'trouve chanceux, c'est pas mal moins dangereux qu'un orignal étampé dans ton hood. » Je déteste conduire dans les bois, j'ai des bosses sur mon pare-chocs car j'ai percuté un chevreuil, pauvre bête, et moi j'ai eu de

la chance, c'est bien moins dangereux qu'un orignal qui s'encastre dans ton capot.

Reculons (Le)
Signification : La marche arrière.
Mise en contexte : « Check la caméra de recul avant de peser sul reculons. » Vérifie la caméra de recul avant d'enclencher la marche arrière.

SAAQ
Signification : Société de l'Assurance Automobile du Québec.
Mise en contexte : « Faut j'aille à la SAAQ a matin pour renouveler mes licences. » Je dois aller à la SAAQ ce matin pour renouveler mon permis. Voir plus d'explications sous le mot *licence*, page 77.

Se parquer
Signification : Se garer.
Mise en contexte : « Je parque mon char sur le stationnement incitatif à Panama pis je prends le 45 sur la voie réservée et chu t'à Montréal en vingt minutes. » Je gare ma voiture sur le parking incitatif à Panama (Rive-Sud de Montréal) puis je prends le bus 45 sur la voie réservée aux bus et je suis à Montréal en vingt minutes. Les Québécois disent aussi « se stationner ».

Stâler
Signification : Caler. Tomber en panne.
Origine : De l'anglais *to stall*.
Mise en contexte : « Ma minoune a stâlé à deux coins de chez nous, pas l'choix de caller le CAA. » Mon tacot est tombé en panne à deux rues de chez moi, j'ai quand même été obligé

d'appeler le Club Automobile (qui envoie des dépanneuses à ses membres en cas d'accident ou de panne).

Starter
Signification : Démarrer son véhicule.
Origine : De l'anglais *to start*.
Mise en contexte : « J'ai starté mon truck. » J'ai démarré mon camion.

Tinque à gaz
Signification : Réservoir à essence.
Origine : De l'anglais *tank*, réservoir.

Tinquer
Signification : Faire le plein d'essence.
Mise en contexte : « Faut j'aille tinquer. » Il faut que je fasse le plein.

Tiquette
Signification : Contravention.
Origine : De l'anglais *traffic ticket*.
Mise en contexte : « Si tu parques ton char icitte tu vas pogner un tiquette. » Si tu gares ta voiture ici, tu vas avoir une contravention.

Tire (prononcer en anglais *ta-yeur*)
Signification : Pneu.
Origine : Vient de l'anglais.
Mise en contexte : « Les tires de mon char sont sué fesses. » Les pneus de ma voiture sont usés.

EXEMPLE DE DIALOGUE EN QUÉBÉCOIS – ET SA TRADUCTION !

À matin j'ai déneigé mon vieux bazou, j'ai embarqué d'dans, j'ai mis mon pied sul brake, j'ai l'vé le brake à bras, j'ai donné du gaz mais l'tank a gaz était pas mal vide fac'chu allé gazer. Sa route, la musique dans l'tapis, je passe le Pont Champlain pis me v'là pogné dans l'traffic, je pèse sul gaz, arrivé en r'tard à job, faite un stationnement parallèle en crampant en masse mon volant, pis décrampe pis t'es rendu. J'ai débarqué d'mon char pis me v'là mon homme !

VERSION FRANÇAISE

Ce matin, j'ai déneigé mon tacot, je suis monté dedans, j'ai mis mon pied sur le frein, j'ai levé le frein à main, j'ai appuyé sur l'accélérateur mais le réservoir était presque vide alors je suis allé prendre de l'essence. Sur la route, la musique à fond, je passe le pont Champlain et me voilà pris dans les embouteillages, j'accélère, j'arrive en retard au boulot, je me gare en parallèle en braquant à fond mon volant, je redresse et j'y suis. Je suis descendu de ma voiture et me voilà mec !

Tire de spare

Signification : Roue de secours.

Origine : De l'anglais *spare tire*.

Towing
Signification : Remorqueuse. Fourrière.
Origine : Vient de l'anglais.
Mise en contexte : « Faut pas niaiser avec le stationnement à Québec, si t'es mal parqué le towing embarque ton char. » Faut faire gaffe avec le stationnement dans la ville de Québec, si t'es mal garé, ta voiture part à la fourrière.

Traffic
Signification : Circulation. Embouteillage.
Mise en contexte : « Allo Linda, c'est Karine. Chu pognée dans l'traffic faque ça s'peux que j'soye un p'tit affaire en r'tard. » Allô Linda, c'est Karine. Je suis prise dans les embouteillages, il se peut donc que je sois un peu en retard.

Traverser les lignes
Signification : Passer la frontière.
Mise en contexte : « Faut un passeport canadien astheure pour traverser les lignes aux États, avant t'avais juss à montrer ta licence. » Il faut un passeport canadien maintenant pour passer la frontière des États-Unis, avant il suffisait de montrer ton permis de conduire.

Traversier
Signification : Bac. Bateau passeur.

Valise
Signification : Coffre de voiture.
Mise en contexte : « Pour être sécure en déhors d'la ville, faut mettre une bougie et une couverte de survie dans la valise. Si t'es pogné dans la tempête par moins trente, la flamme de

la bougie et la couverte te tiendront assez chaud pour survivre. » Pour ta sécurité quand tu t'en vas hors de la ville, il faut mettre une bougie et une couverture de survie dans ton coffre. Si t'es pris dans la tempête par moins trente, la flamme de la bougie et la couverture te tiendront suffisamment chaud pour survivre. « J'ai mis les valises dans valise. » J'ai mis les valises dans le coffre.

Virer sul côté
Signification : Véhicule renversé.
Mise en contexte : « En pognant l'orignal dans l'parc des Laurentides le char a viré sul côté. » La voiture s'est renversée après avoir frappé l'orignal dans le parc des Laurentides.

Voiture fantôme/police fantôme
Signification : Voiture de police banalisée.
Mise en contexte : « Peux-tu croire que j'me su faite pogner par une police fantôme à onze heures le soir dans une maudite poudrerie à moins trente ! Enweille la police, achète-toé une vie ! » Réalise que je me suis fait choper par une voiture de flics banalisée à vingt-trois heures dans la tempête à moins trente degrés ! Putain le flic, trouve-toi une vie (sous-entendu que s'il est là la nuit dans la tempête à filer des contraventions c'est qu'il n'a rien de mieux à faire) !

Winshire/Winshil
Signification : Pare-brise.
Origine : De l'anglais *windshield.*
Mise en contexte : « Y'a un poque sul winshil. » Y'a un pet sur le pare-brise.

SE METTRE SUR SON 36 – S'HABILLER… ET FAIRE SA TOILETTE

Abrier/abriller/rabrier
Signification : Couvrir/recouvrir quelqu'un/quelque chose pour le protéger (du froid, de la pluie, du vent, etc.).
Mise en contexte : « C'est toujours quand t'as fini d'abriller le ti-cul pour sortir par moins trente qu'y veut aller à toilette. » C'est toujours quand t'as fini d'équiper le petit pour sortir par moins trente qu'il veut aller aux toilettes. « J'ai abrié les plantes dans cour pour passer l'hiver. » J'ai protégé les plantes dans le jardin pour qu'elles résistent à l'hiver.
S'abriller pour la nuit : Se mettre au chaud sous les couvertures.
Autres significations : Défendre, excuser, cacher.

Altération
Signification : Reprise, raccommodage, sur un vêtement.

Anorak
Signification : Manteau d'hiver avec une capuche.
Origine : Vient de l'inuktitut *anoraq*.

Attacher
Signification : Boutonner. Nouer. Lacer.
Mise en contexte : « Attache ton manteau, fait frette en titi ! » Boutonne ton manteau, il fait hyper froid.

Atriquage
Signification : Accoutrement.

Atriqué/Habillé comme la chienne à Jacques
Signification : Mal habillé, affublé sans goût, pauvrement, voire vulgairement.

Mise en contexte : « A s'habille comme la chienne à Jacques. C'est pas smart à dire mais c'est vrai pareil. » Elle est mal habillée. Ce n'est pas gentil à dire, mais ça n'en est pas moins vrai.
Origine : Un certain Jacques Aubert qui vivait dans le « Bas du Fleuve » (Saint-Laurent) était propriétaire d'un chien qui avait perdu ses poils. En hiver, pour le protéger du froid, il habillait l'animal de vieux vêtements. Pour se moquer des personnes mal habillées, l'idée serait venue aux gens du village de les comparer à la chienne de Jacques.
Information culturelle : Pour certains Québécois, la chienne à Jacques est habillée mais ne peut être atriquée. En fait être « habillé comme la chienne à Jacques » est une version moderne d'être « atriqué comme la chienne à Jacques ». Les deux se disent mais aujourd'hui on utilise plutôt le mot habillé.

Barniques

Signification : Lunettes.
Origine : « – Sont où mes barniques ? – Sa tête ! » – Elles sont où mes lunettes ? – Sur ta tête !

Bas

Signification (faux ami) : Chaussettes.
Mise en contexte : « Y fais-tu frette ? J'mets-tu des bas, des bas-culotte ou des combines à matin ? » Est-ce que ça caille ? Je mets des chaussettes, des collants ou un caleçon long, ce matin ?

Bobépine

Signification : Épingle à nourrice.
Origine : De l'anglais *bobby pin*, pince à cheveux.

« A danse le rock chromée full pin
Comme une vraie super Bobépine
Qui ça?
Bobépine! »

Chanson de Plume Latraverse.

Bobettes/Paire de bobettes
Signification: Slip, caleçon, culotte. Aussi bien masculin que féminin. Mot généralement utilisé au pluriel.
Mise en contexte: « Mets tes bobettes sa corde à linge. » Mets tes culottes sur la corde à linge.

Bottines
Signification: Bottes. Portées par un homme ou une femme. Qu'elles montent à la cheville, au mollet ou jusqu'en haut des cuisses, cela reste des bottines.
Mise en contexte: « Attache tes bottines, c'est l'temps de partir. » Lace/zippe/boucle tes bottes, il est temps d'y aller.
- Bottines de ski: Chaussures de ski.

Bourse
Signification: Sac à main.
Mise en contexte: « J'aime ça la couleur de ta bourse. » J'aime la couleur de ton sac.

Brassière
Signification (faux ami): Soutien-gorge.
Mise en contexte: « Ouin, ta brassière qui matche avec ta camisole pis tes bas, m'a d'l'air que t'as une date à souère! » Ouais, soutien-gorge assorti à ton top et à tes chaussettes, ça sent le rendez-vous galant!

Calotte
Signification (faux ami) : Casquette.
Mise en contexte : « Mets ta calotte avant d'aller au soleil. »

Camisole
Signification (faux ami) : Débardeur, marcel.
Origine : Vient du vieux français.
Mise en contexte : « Y'a un deux pour un sur les camisoles à la Baie. » Promotion deux pour le prix d'un sur les débardeurs au magasin la Baie.
Information culturelle : La Baie est un magasin emblématique du Canada, comparable aux Galeries Lafayette. Historiquement, la Compagnie de la Baie d'Hudson faisait du commerce de fourrures. Elle fait partie des plus anciennes entreprises au monde toujours en activité.

Capine
Signification : Capuche, chapeau, bonnet. Ce qui couvre la tête.
Mise en contexte : « Avec les bourass de vent qu'on a, ça prend une capine qui tient bin sa tête. » Vu les bourrasques, il faut une capuche qui tient bien sur la tête.

Capuchon
Signification (faux ami) : Capuche.

Carreauté
Signification : À carreaux.
Mise en contexte : « Ça fite-tu mon chandail de laine avec ma jupe carreautée ? » Ça va ensemble mon pull en laine avec ma

jupe à carreaux? « Chemise carreautée. » La fameuse chemise de bûcheron!

Cass/Casque

Signification: Bonnet. Chapeau.
Mise en contexte: « Chu parti de Montréal avec moins trente degrés et deux heures après chu à Cancun par plus vingt-cinq degrés. C'est-tu l'fun de changer son cass de pouèl pour un cass de bain! » Je suis parti de Montréal par moins trente degrés et deux heures plus tard j'étais à Cancun par plus vingt-cinq degrés. Si c'est pas génial de changer son chapeau de fourrure pour un bonnet de bain!

Centre d'achat

Signification: Centre commercial, regroupement de boutiques.
Origine: De l'anglais *shopping center.*
Mise en contexte: « J'ai acheté ce soute de bain au plus grand centre d'achat de Las Vegas pendant les vacances. » J'ai acheté ce maillot de bain dans le plus grand centre commercial de Las Vegas pendant les vacances.
« Avant la v'nue du centre d'achat
Sur la grand'rue c'était plus vivant qu'ça
Des ti-culs en bécique des cousines en visite (…) »
Chanson La Rue principale, *Les Colocs.*

Chandail

Signification: Pull. Maillot. Maillot de corps.
Mise en contexte: « Chandail de hockey, de soccer, de McGill. » Maillot de hockey, de foot, de l'université de McGill.

Chaussettes

Signification (faux ami) : Pantoufles.
Mise en contexte : « Enlève tes bottes de ski, mets des bas secs et tes chaussettes. » Enlève tes bottes de ski, mets des chaussettes sèches et tes pantoufles.

Chic and swell

Signification : Habillé chic.
Origine : Vient de l'anglais.
Mise en contexte : « J'vous dis que Madame Tremblay était chic and swell aux noces de sa fille. » Madame Tremblay était sacrément chic au mariage de sa fille.

Claques/Shoe-claques

Signification : Couvre-chaussures en caoutchouc qui protègent les chaussures de la neige, de la pluie, des abrasifs (sel, gravillons) répandus sur la neige et la glace l'hiver pour aider à ne pas glisser.
Origine : Déformation du nom de la marque de souliers « Shoe Clark ».
Mise en contexte : « Y'a d'la sloche à toué coins d'rue à matin faqu'tu s'rais mieux de mettre tes claques. » Il y a de la neige fondante à tous les coins de rue ce matin, je te conseille de mettre tes couvre-chaussures.
Informations culturelles : Les claques évitent de porter au bureau des bottes sales ou de devoir emporter une paire de rechange dans un sac. Un peu comme les blouses qu'on portait autrefois à l'école en France pour protéger les vêtements, les jeunes d'aujourd'hui ne portent pas de claques, le mot tombe donc en désuétude.

Combines
Signification (faux ami) : Caleçon long porté sous le pantalon ou combinaison couvrant tout le corps pour se garder au chaud.
Mise en contexte : « J'ai mis mes combines. Je peux aller prendre une marche sans me g'ler l'derrière ! » J'ai mis mon caleçon long. Je peux aller me balader sans me geler les fesses.

Costume de bain
Signification : Maillot de bain.
Mise en contexte : « Fa chaud ! J'mets mon costume de bain pis j'saute dans piscine drette-là ! » Il fait chaud. Je mets mon maillot de bain et je saute direct dans la piscine !

Coton ouaté
Signification : Sweat.
Mise en contexte : « Un coton ouaté c'est pas chic and swell mais c'est confortable en titi ! » Un sweat, c'est pas chic mais qu'est-ce que c'est confortable !

Couvre-tout
Signification : Blouse d'écolier à manches longues fermée aux poignets par des élastiques (surtout utilisée en garderie). Combinaison de travail servant à protéger les vêtements ou le corps (Couvre-tout d'hiver, couvre-tout ignifuge, etc.).

Culotte
Signification : Pantalon.
Origine : Vieux français.
Mise en contexte : « J'ai maigri beaucoup. J'ai l'fond de culotte à terre. » J'ai beaucoup maigri. Je perds mon pantalon.

Débarbouillette

Signification : L'équivalent du gant de toilette. Mini serviette généralement carrée (on ne peut y glisser la main) qui sert à se laver.

Mise en contexte : « Apporte-moi une débarbouillette, m'a t'laver la face. » Apporte-moi un gant de toilette, je vais te laver le visage.

Désabriller

Signification : Découvrir, déshabiller.

Mise en contexte : « Au printemps, faut pas se désabriller trop vite. » « J'ai pogné le rhume à cause que tu m'as désabrillé toute la nuite » J'ai attrapé un rhume parce que tu as tiré la couverture à toi toute la nuit.

Épingle à linge

Signification : Pince à linge.

Espadrilles

Signification (faux ami) : Chaussures de sport, tennis, basket.

Mise en contexte : « J'te gage que mes nouvelles espadrilles vont m'aider à courir le marathon ! » Je te parie que mes nouvelles chaussures de course vont m'aider à courir le marathon !

Être/Se mettre sur son trente-six

Signification : Être/Se mettre sur son trente et un. S'habiller chic.

Mise en contexte : « Ça faisait un boutte que j'avais pas eu l'occasion de me mettre sur mon trente-six ». Ça faisait longtemps que je n'avais pas eu l'occasion de m'habiller chic.

Fitter
Signification : Aller ensemble, correspondre, s'assembler, s'emboîter, s'ajuster.
Origine : De l'anglais *to fit*.
Mise en contexte : « Ça fitte pas pantoute ta chemise carreautée avec tes pantalons barrés. » Ta chemise à carreaux ne va pas du tout avec ton pantalon à rayures.

Fly
Signification : Braguette. Fermeture éclair.
Origine : Vient de l'argot anglais *fly*, braguette… à ne pas confondre avec mouche.
Avoir la fly à l'air/à terre : Avoir la braguette ouverte.
Mise en contexte : « R'garde le don aller à faire son frais avec la fly à l'air ! » Regarde-le donc faire l'intéressant alors qu'il a la braguette ouverte !

Froc de jeans/de cuir (une)
Signification : Veste de jean/de cuir. Manteau.
Mise en contexte : « Pour faire de la moto ça prend une bonne froc de cuir. » Pour faire de la moto, il faut une bonne veste de cuir.

Foulard
Signification : Écharpe. Foulard.
Information culturelle : En québécois, il n'y a pas de distinction entre foulard et écharpe.

Garde-robe (un)
Signification : Placard à vêtements.
Origine : Vieux français.

Mise en contexte : « Ma blonde occupe quatre-vingt-cinq pourcent du garde-robe de not'chambre. J'ai dû ajouter des tablettes dans le garde-robe de l'entrée pour serrer mes chandails. » Ma copine occupe quatre-vingt-cinq pourcent du placard de notre chambre. J'ai dû ajouter des étagères dans le placard de l'entrée pour ranger mes pulls.

- Sortir du garde-robe : « Sortir du placard », « faire son *coming out* », déclarer son homosexualité.

Mise en contexte : « Y'é sorti du garde-robe en direct à TV. » Il a fait son *coming out* en direct à la TV.

Gougounes

Signification : tongs.
Mise en contexte : « Costume de bain, gougounes, calotte, crème solaire et lunettes de soleil, enweille, on s'en va dans l'Sud ! » Maillot de bain, tongs, casquette, crème solaire et lunettes de soleil, allez, on part pour le Sud !
Information culturelle : Destination vacances par excellence pour faire une pause soleil et se remonter le moral quand l'hiver n'en finit pas, le Sud désigne le Mexique, Cuba, le Costa Rica, la Floride et la République dominicaine.

Habit

Signification : Costume. Complet.

Jacket (prononcer à l'anglaise jaquette)

Signification : Veste, blouson court/de sport.
Origine : Vient de l'anglais.

Jaquette

Signification : Chemise de nuit. Chemise. Blouse médicale.

Kit

Signification : Un ensemble. Une panoplie. Un équipement.
Mise en contexte : « Me su trouvé un kit de zombie avec le maquillage qui vient avec, m'a t'dire qu'à l'Haloween j'va en épeurer plus d'un ! » Je me suis trouvé une panoplie de zombie avec le maquillage compris, j'vais te dire, à Halloween, je vais en effrayer plus d'un !

Lavage (Faire son)

Signification : Lessive (Faire la).
Mise en contexte : « Ma voisine a pas d'laveuse, a fait son lavage à buanderette. » Ma voisine n'a pas de machine à laver, elle fait sa lessive à la laverie.

Laveuse

Signification : Machine à laver. Lave-linge.
Mise en contexte : « Les nouvelles laveuses HE ne lavent pas aussi bien que les vieilles qui avaient un bonhomme. » Les nouvelles machines à laver haute-efficacité lavent moins bien que les anciennes machines à tambour.

Linge

Signification : Vêtements. Torchons.
Mise en contexte : « Le beau temps s'en vient, j'ai-tu hâte de porter mon linge d'été ! » Le beau temps arrive, j'ai tellement hâte de porter mes vêtements d'été !

Magasiner

Signification : Faire les magasins, faire du shopping.

Mise en contexte : « Cassandre est partie magasiner avec ses chums de filles. » Cassandre est partie faire les magasins avec ses copines.

Mitaines

Signification : Mouffles. Gants pour le four.
Origine : De l'anglais *mitten*.
Mise en contexte : « Les mitaines de poêle ça protège contre les brûlures. » Les gants pour le four, ça protège des brûlures.

Nettoyeur

Signification : Pressing.

Paire de culottes/de pantalons

Signification : Pantalon.
Mise en contexte : « Y s'est acheté une paire de pantalons pour les noces. » Il s'est acheté un pantalon pour le mariage.
Usage : Malgré le mot paire et le pluriel, il s'agit d'un seul pantalon.

Pantalon court

Signification : Short.

Passer la nuit sua corde à linge

Signification : Être fatigué ou malade après avoir passé la nuit à faire la fête et à boire. Faire une nuit blanche. Par extension, faire de l'insomnie.
Mise en contexte : « À voir ta face maganée d'même j'gage que t'as passé la nuite sua corde à linge. » À ton air vaseux, je parie que t'as passé une nuit blanche !

Rack à boules/à jos
Signification : Soutien-gorge (vulgaire).

Palette
Signification : Visière (de casquette, de casque).
Mise en contexte : « Les jeunesses portent encore la palette vers en arrière. » Les jeunes portent encore la visière en arrière.
Autres significations :
- Extrémité plate et courbée de la crosse de hockey. « Il a brisé la palette de son hockey en frappant à côté de la rondelle. » Il a cassé l'extrémité de sa crosse de hockey en frappant à côté du palet.
- Incisive. « Y'a pris une débarque pis y'a brisé ses palettes sur la palette du hockey d'un gars d'l'autre équipe. » Il a fait une chute et s'est pété les incisives sur l'extrémité de la crosse d'un gars de l'équipe adverse.
- Voir *palette de chocolat* page 134.

Sacoche
Signification : Sac à main.
Mise en contexte : « J'vous dis qu'a en met des affaires dans sa sacoche ! » Elle en met des choses dans son sac, c'est moi qui vous l'dis !

Se péter les bretelles
Signification : Se vanter. Se la jouer. Être vaniteux.
Mise en contexte : « Y'a-tu fini d'se péter les bretelles, on l'sait ben qu'il a les meilleures cotes d'écoute ! » Va-t-il arrêter de se vanter ? On le sait qu'il fait le meilleur audimat !

S'habiller en p'lure d'oignon

Signification : Superposer de fines couches de vêtements afin d'emprisonner autant de couches d'air pour s'isoler du froid. Cela permet également de s'adapter aux changements de température (elle peut passer de moins quinze à plus quinze degrés en à peine quelques heures) en retirant des couches selon les besoins.

Sécheuse

Signification : Sèche-linge.
Mise en contexte : « Câline ! Ma jaquette a foulé dans sécheuse. » Mince ! Ma chemise de nuit a rétréci dans le sèche-linge.

Se greiller

Signification : Se préparer, s'habiller pour sortir dehors ou en soirée.
Mise en contexte : « Greille toé, on part. »

Souliers de course

Signification : Tennis, baskets.
Origine : De l'anglais *running shoes*.

Soute de bain

Signification : Maillot de bain.
Origine : De l'anglais *suit*, costume.

Soute de plongée

Signification : Combinaison de plongée.
Mise en contexte : « J'ai brisé ma soute en faisant de la plongée. » J'ai déchiré ma combinaison en faisant de la plongée.

Tuque
Signification : Bonnet.

Zippeur
Signification : Fermeture éclair.
Origine : De l'anglais *zipper*.
Mise en contexte : « Pour le sport j'aime ça les chandails de coton ouaté à zippeur, c'est plus vite à attacher que les boutons. » Pour le sport, je préfère les pulls en coton à fermeture éclair, c'est plus rapide à fermer que les boutons.

Avoir la guédille au nez
Signification : Avoir la morve au nez.
Mise en contexte : « Depu que l'école est commencée y'a toujours la guédille au nez. » Depuis que l'école est commencée, il a toujours la morve au nez.

Avoir le feu au cul
Signification (faux ami) : Être enragé.
Mise en contexte : « Quand tu jases des affaires politiques avec ton frère, ça te met le feu au cul. » Quand tu parles politique avec ton frère, tu deviens enragé.

Avoir les deux yeux dans le même trou
Signification : Ne pas avoir les yeux en face des trous, notamment au réveil.
Mise en contexte : « Les paupières me tombent, je me sens les deux yeux dans le même trou. » J'ai les paupières qui tombent (de sommeil), je n'ai plus les yeux en face des trous.

Avoir les mains pleines de pouces
Signification : Être maladroit.
Mise en contexte : « Quessé qu'j'ai aujourd'hui ? J'échappe tout ce que je prends ! On dirait que j'ai les mains pleines de pouces. » Qu'est-ce que j'ai aujourd'hui ? Tout me glisse des mains ! Ce que je suis maladroit.

Avoir les yeux dans la graisse de bines
Signification : Avoir le regard vague, absent, vers l'intérieur, absorbé, perdu dans ses pensées. Avoir le regard lourd sous l'effet de l'alcool, de la fatigue, de l'ennui, du désir.
Origine : De l'anglais *bean*, signifiant « haricot ».

Mise en contexte : « T'as pas remarqué qu'y avait les deux yeux dans la graisse de bines? Y'est tout l'temps saoul. »

Avoir la bouche molle

Signification : Parler sans articuler, notamment suite à l'abus d'alcool.
Mise en contexte : « C'est pareil à Arthur. Il parle la bouche molle, on dirait qu'y'a une patate dans bouche. » C'est comme Arthur. Il n'articule pas, il parle indistinctement.

Avoir mal à la cervelle

Signification : Avoir mal au crâne.
Mise en contexte : « Ayoye, j'ai mal à la cervelle, j'va me relaxer au lieu d'prend'un Advil. » Aïe aïe, j'ai mal au crâne, je vais me détendre au lieu de prendre de l'aspirine.

Se suer la cervelle

Signification : S'épuiser à réfléchir. Cogiter sans cesse.
Mise en contexte : « Depuis que je fais de la méditation je me sue ben moins la cervelle. » Depuis que je fais de la méditation, je me triture moins les méninges.

Avoir un rapport

Signification : Roter.
Mise en contexte : « Une mauvaise digestion peut causer des rapports. » Une mauvaise digestion peut entraîner des rots.

Avoir sa journée dans le corps

Signification : Être fourbu, fatigué physiquement après une grosse journée.

Mise en contexte: « Quand t'as ta journée dans l'corps, un cours de yoga pis t'es recrinqué. » Quand t'es épuisé, un cours de yoga, ça te remet à neuf.

Aller au corps

Signification: Aller voir un mort au salon funéraire.
Mise en contexte: « Chu t'allé au corps de ma matante Simone. Y avait plein de monde au salon. » Je suis allé voir le corps de ma tante Simone. Il y avait plein de monde au salon funéraire.

Babines

Signification: Lèvres.
Mise en contexte: « Quand on se fait faire des promesses par les politiciens, on veut toujours que les bottines suivent les babines. » Quand on se fait promettre des choses par les politiciens, on veut ensuite que les actes suivent les paroles.
Rouge babines: Rouge à lèvres.
Ruine babines: Harmonica.

Baboune

Signification: Lèvres pulpeuses.
Mise en contexte: « A s'est faite injecter du Botox. Y a-tu vu la baboune? » Elle s'est faite injecter du Botox. Tu as vu ses lèvres pulpeuses?
Faire la baboune: Faire la moue, bouder.
Mise en contexte: « Arrête don de faire ta baboune, on ira faire du bicyc' demain. » Arrête de bouder, on fera du vélo demain.

Bajoues
Signification : Joues rondes, généralement en parlant d'un enfant.
Mise en contexte : « C'est-tu cute de belles bajoues roses comme ça ! » Si c'est pas adorable de bonnes grosses joues roses comme ça !

Bandage
Signification : Érection.
Mise en contexte : « L'excitation érotique provoque le bandage. »
Bandage de pisse : Pression de la vessie sur les nerfs érecteurs provoquant une érection.
Autre signification :
- Bandage médical.

Mise en contexte : « J'ai besoin d'un bandage élastique pour mon poignet. »
Bandage adhésif : Pansement.

Bedaine
Signification : Ventre. Bide.
Mise en contexte : « Cette femme a un beau bedon, son chum a une grosse bedaine. » Cette femme a un joli ventre, son petit copain a un gros bide.
Belle bedaine : Pour complimenter le ventre rond d'une femme enceinte.
Être/Se mettre en bedaine : Être/Se mettre torse nu.
Faire de la bedaine : Être gros, obèse.
Flatter la bedaine de quelqu'un : Amadouer. Caresser dans le sens du poil.

Belle shape/Beau body
Signification : Bien foutu physiquement.
Origine : De l'anglais *shape*, forme, silhouette et *body*, corps.
Mise en contexte : « Les danseurs y'ont une maudite de belle shape. » Les danseurs sont sacrément bien gaulés.

Bette
Signification : Visage.
Mise en contexte : « Y a-tu vu la bette ? On dirait qu'il rit tout le temps. » T'as vu sa trogne ? On dirait qu'il rit tout le temps.

Boules
Signification (faux ami) : Les seins.
Mise en contexte : « Ê bollée c'te fille-là, pis une méchante paire de boules à part de t'ça ! » Elle est super intelligente cette fille, et en passant elle a de sacrés nichons !

Bizoune
Signification : Zizi.

Coûter un bras
Signification : Hors de prix. Coûter la peau des fesses.
Mise en contexte : « Mon VR (Véhicule Récréatif) m'a coûté un bras. » Mon camping-car m'a coûté la peau des fesses.

Craque de fesses
Signification : Raie des fesses.
Mise en contexte : « T'as-tu écouté le championnat de bobsleigh ? Quand la championne s'est penchée par en avant sa combinaison s'est brisée, on y'a vu toute une craque de fesses mon homme ! » As-tu regardé (à la télévision) le championnat

de bobsleigh ? Quand la championne s'est penchée en avant, sa combinaison s'est déchirée, on lui a vu la raie des fesses, mec !

Donner un coup de cœur
Signification : Décupler ses efforts.
Mise en contexte : « Enweille, on donne un coup d'cœur pour terminer a job ! » Allez, on donne un dernier coup pour terminer l'travail !

Être un corps sans âme
Signification : Être indifférent, désabusé. Être mou, sans volonté.
Mise en contexte : « En plus d'être ingrat, il a un corps sans âme. »

Gros comme le bras
Signification : Beaucoup. Exagéré.
Mise en contexte : « J'ai des dossiers à classer gros comme le bras. » J'ai une montagne de dossiers à classer.

Échevelé
Signification : Décoiffé.

Face
Signification : Visage.
Mise en contexte : « Yé tellement hypocrite, une vraie face à fesser d'dans. » Il est tellement hypocrite, une vraie tête à claque.

Fale
Signification : Poitrine.
Avoir la fale à l'air : Être débraillé.

Avoir la falle basse/à terre : Être fatigué, déprimé.
Mise en contexte : « Quand il parle de son ex, il a la falle basse. » Quand il parle de son ex, il est déprimé.

Filer

Signification : Sentir, ressentir, éprouver.
Origine : De l'anglais *to feel.*
Mise en contexte : « Depuis hier au soir je file pas pantoute. » Depuis hier soir, je me sens vraiment mal.
Filer croche : Ne pas être en forme. Ne pas avoir le moral.
Filer cheap : Se sentir minable ou coupable.
Mise en contexte : « Je file cheap d'avoir été choisi pour l'audition alors que tu as tellement travaillé pour ça. » Je me sens mal d'avoir été pris à l'audition alors que tu as tellement travaillé pour ça.

Fesser

Signification (faux ami) : Frapper, cogner, au propre comme au figuré.
Mise en contexte : « Ouch, le poulet au piment, ça fesse ! »

Flux (avoir le)

Signification : Avoir la diarrhée.

Foufounes

Signification (faux ami) : Les fesses.
Mise en contexte : « Son flo a commencé le ski mais yé pas fort fort. Yé tanné de tomber toujours sur les foufounes. » Son ado a commencé le ski mais il n'est pas doué. Il en a marre de tomber sans cesse sur les fesses.

Informations culturelles : Terme enfantin. Rien à voir avec les parties génitales féminines ! Si vous êtes à Montréal, ne manquez pas *Les Foufounes Électriques*, club *underground* et salle de concert culte dont la réputation n'est plus à faire.

Gosses

Signification (faux ami) : Testicules, couilles (grossier).
Informations culturelles : Terme féminin. Peu de Français savent la signification québécoise de ce mot. Certains Québécois s'en amusent à leurs dépens. Ne vous étonnez donc pas de leur petit sourire narquois quand vous leur direz « Viens avec tes gosses, on va avoir du fun. »
Autres significations :

- Énerver, déranger, fatiguer. « Tu me gosses, sacre moi patience ! » Tu m'énerves, fous-moi la paix.
- Partir sur une gosse : À toute vitesse. Déraper, se barrer en couille.

Mise en contexte : « Chu parti sune gosse à matin, j'ai oublié ma boîte à lunch. » Je suis parti à toute vitesse ce matin, j'ai oublié mon casse-croûte. « Le parté part sune gosse. » La fête se barre en couille.

- Rien que sur une gosse : Sans préparation.

Mise en contexte : « Il a fait cette conférence rien que sur une gosse. »

Gosser

Signification : Tailler grossièrement un morceau de bois avec un couteau. Bricoler, réparer de façon grossière, sans garantie de réussite. Tripatouiller.

Mise en contexte : « J'ai gossé d'quoi sur ton châssis en attendant que tu le changes. » J'ai bricolé ta fenêtre en attendant que tu la changes. « Mets don ça au vidanges, tu gosses après depuis une coupe de jours pis ça marche toujours pas. » Mets-le donc à la poubelle, tu le tripatouilles depuis deux jours et ça ne marche toujours pas. « J'ai perdu mon avant-midi à gosser sur mon ordinateur. » J'ai perdu ma matinée à pianoter sur mon ordinateur.

Autres significations :

- Énerver, exaspérer, jouer avec les nerfs de quelqu'un.

Mise en contexte : « Y'arrête pas de me gosser avec ses commentaires. » Il me prend la tête avec ses commentaires.

- Perdre son temps.

Mise en contexte : « J'ai passé mon avant-midi à gosser. » J'ai passé ma matinée à perdre mon temps (sous-entendu à faire quelque chose d'inutile ou qui n'a pas marché). « J'haïs ça les réunions de copropriétaires, on fait rien que gosser. » Je déteste les réunions de copropriétaires, on perd son temps.

- Gossage : Perte de temps, généralement par manque d'organisation ou pour cause de paperasserie.

Mise en contexte : « Toute ces formulaires, c'est rien que du gossage inutile ! » Tous ces formulaires, c'est une perte de temps inutile.

- Gossant : Ennuyeux. Énervant.

Mise en contexte : « Y'é jamais là à l'heure, c'est gossant à la longue. » Il n'est jamais là à l'heure, c'est énervant à force.

Graine

Signification : La bite (vulgaire).

Greillé
Signification : Bien monté, sexuellement (vulgaire).
Autres significations :
- Être équipé.

Mise en contexte : « Hé tabarouette, t'es don ben greillé, on va faire du ski, pas les jeux olympiques d'hiver! » Et ben, t'es méchamment équipé, on va faire du ski, pas les jeux Olympiques d'hiver!
- Bien équipé (comprenant des accessoires).

Greillé comme un taureau.
Signification : Monsieur ayant des attributs conséquents!
Greiller : Équiper. Ajouter un accessoire.
Mise en contexte : « J'ai greillé ma drille. » J'ai équipé (sous-entendu « mis une mèche sur ») ma perceuse.

Jos
Signification : Nichons. Poitrine exposée dans des vêtements moulants ou décolletés (vulgaire).
Mise en contexte : « Méchante paire de jos, on y voit la craque, c'te fille-là c't'une agace. » Sacrée paire de seins, on voit le sillon entre les deux, cette fille-là, c'est une allumeuse.

Jouer dans le dos de quelqu'un
Signification : Duper quelqu'un, l'induire en erreur. Faire des choses en catimini dans le dos de quelqu'un.
Mise en contexte : « Y'aurait dû avoir le contrat mais y s'est faite jouer dans l'dos. » Il aurait dû avoir le contrat, mais il s'est fait avoir.

Joufflu

Signification (faux ami) : Le fessier.
Mise en contexte :
« La bonne basse ça descend dans le bassin
De celles dont les prunelles étincellent
Qui ont les bras au plafond et qui se donnent à fond
Quand y a du bon son
Vous avez toutes c'qui faut, c't'entendu
Ça fait que bougez-vous le joufflu. »
Chanson de Loco Locass, Du joufflu.

Jus de bras

Signification : Huile de coude.
Mise en contexte : « Ça prend du jus de bas pour nettoyer un barbecue après un parté ! » Il faut de l'huile de coude pour nettoyer un barbecue après une fête !

Les bras m'ont tombé

Signification : Les bras m'en tombent. Être dépassé par les événements. Être découragé par l'ampleur d'une tâche.
Mise en contexte : « J'en r'viens pas de la nouvelle que tu m'as annoncé à matin. Les bras m'ont tombé. »

Les nerfs !

Signification : Du calme ! Ça suffit !
Mise en contexte : « Eille, les nerfs ! » Hé, du calme !
- Être sul gros nerf : Avoir les nerfs. Être tendu.
- Ne pas se piler sur le gros nerf : Rester calme, ne pas paniquer.
- Pogner les nerfs : Se mettre en colère. S'énerver.

- Taper sul gros nerf : Taper sur les nerfs. Pour parler de quelqu'un d'énervant.

Mise en contexte : « Y'a un Français à job, y sait toute, mausus qu'y m'tape sul gros nerfs ! » Il y a un Français au boulot, il sait tout sur tout, bon sang ce qu'il me tape sur les nerfs.

Noune

Signification : Sexe féminin, vulve (vulgaire).

Plotte

Signification : Vagin (vulgaire).

- Avoir la plotte à terre : Être épuisé.

Mise en contexte : « J'ai hâte aux vacances. J'ai la plotte à terre. » J'ai hâte d'être en vacances. Je suis épuisé.

Poche

Signification (faux ami) : Scrotum (vulgaire).

- Gratte-poche : Homme qui se gratte souvent là où il n'est pas censé le faire devant témoins ! Problème d'élégance… ou d'hygiène !

Autres significations :

- Nul, mauvais, inintéressant. « Pourave ».

Mise en contexte : « Les Canadiens de Montréal ont encore perdu, c'est poche, on n'ira pas en finale. » Les Canadiens de Montréal (l'équipe de hockey) ont encore perdu, c'est nul, on n'ira pas en finale.

- Ça fait pas un pli sua poche : Ça en bouge une sans remuer l'autre.

Mise en contexte : « Peu importe ce que tu vas me dire, ça me fait pas un pli sua poche. »

- Chien de poche : Personne envahissante, peu appréciée et qui en suit une autre partout.
- Pocher un examen : Échouer à un examen.
- Poil de poche : Poil de couilles.
- Un fou/Une folle dans une poche : Une occasion à ne pas rater. Il faudrait être fou pour refuser.

Mise en contexte : « Avec le salaire et les vacances qui vont avec, c'est une mausus de bonne job, un fou dans une poche je ne dirai pas non ! » Vu le salaire et les vacances, c'est un sacré bon job, je ne dirais pas non, il faudrait être fou pour refuser !

Peignure

Signification : Coiffure.
Origine : Du latin *pectinare*, se coiffer avec un peigne.

Poque

Signification : Marque sur le corps dû à un choc ou à un coup (ecchymose, bosse).
Origine : De l'anglais *poke*.
Mise en contexte : « Yé rentré chez nous avec la face pleine de poques pis y'a le front de m'dire qu'y s'est pas battu ! » Il est rentré à la maison le visage couvert de bleus et il a le culot de me dire qu'il ne s'est pas battu !
Autres significations :

- Trace de choc sur un objet.
- Palet de hockey, rondelle.

Poqué

Signification : Couvert de bleus. Courbaturé, éreinté. Cabossé.

Poquer
Signification : Heurter. Abîmer par un choc.

Se faire aller les babines
Signification : Pérorer.
Mise en contexte : « J'écoute pu quand y se fait aller les babines. » Je n'écoute plus quand il se met à pérorer.

S'énerver le poil des jambes
Signification : S'exciter. Paniquer.
Mise en contexte : « Eille les ti-culs, arrêtez d'vous énerver le poil des jambes. » Hé les enfants, calmez-vous !

Sentir le swing
Signification : Sentir la sueur.
Mise en contexte : « Ouach, ça sent l'swing icitte ! » Beurk, ça sent la sueur ici !

Se tenir le corps raide et les oreilles molles
Signification : Se tenir tranquille.
Mise en contexte : « T'es mieux de te tenir le corps raide et les oreilles molles. » Tu ferais mieux de te tenir tranquille.

Sucette
Signification (faux ami) : Suçon.
Mise en contexte : « Ouin, ça d'l'air que t'étais pas tuseul cette nuite. Crisstie d'grosse sucette dans l'cou ! » Ouais, semblerait que t'étais pas seul cette nuit. Méchant suçon dans le cou !
Information culturelle : Si à Halloween vous proposez des sucettes à vos amis québécois, vous risquez de vous faire regarder de travers ou de finir dans une situation coquine

imprévue. Méfiez-vous des faux amis ! Voir le mot *suçon* page 140.

Totton

Signification (faux ami) : Le sein au complet.

Va-vite

Signification : Diarrhée.
Mise en contexte : « Sort de la toilette tusuite, faut j'aille, j'ai le va-vite ! » Sort des toilettes tout de suite, je dois y aller, j'ai la diarrhée !

LA BOUFFE GASTRONOMIQUE – LA GRANDE CUISINE !

All dresse
Signification : Toute garnie, garniture complète.
Origine : De l'anglais *all dressed*.
Mise en contexte : « – Tu veux-tu de la moutarde française pis des relish avec ton roteux ? – M'a prendre un all-dresse. » – Tu veux de la moutarde et des pickles dans ton hot-dog ? – Je vais le prendre avec la garniture complète.

Aveline
Signification : Noisette.
Mise en contexte : « Y'é allergique aux noix, c'est-tu d'même avec les avelines ? » Il est allergique aux noix, est-ce qu'il l'est aussi aux noisettes ?

Avoir des croûtes à manger
Signification : Avoir ses preuves à faire. Travailler fort pour acquérir de l'expérience.
Mise en contexte : « T'as des croûtes à manger avant de pouvoir diriger la compagnie. » Tu dois acquérir de l'expérience avant de pouvoir diriger l'entreprise.
Information culturelle : Les enfants de colons qui mangeaient la mie de leur tartine s'entendaient dire « mange tes croûtes » par leur parents, d'une part parce que les temps étaient rudes et qu'il ne fallait pas gaspiller, mais aussi parce qu'au même titre que « mange ta soupe », il fallait tout manger pour bien grandir.

Bagel

Signification : Petit pain d'origine polonaise et juive, à la mie compacte et ferme, formant un anneau qui peut être couvert de graines de sésame, de pavot, de carvi, de tournesol. Il peut être fourré à l'oignon, aux graines de lin, multigrain, au blé entier, aux bleuets, aux raisins secs et à la cannelle, aux pépites de chocolat, etc.

Mise en contexte : « J'prendrais un bagel au sésame toasté BLT pis un café régulier. » Je vais prendre un bagel au sésame grillé avec bacon, laitue, tomate et un café. « Ça s'peut qu't'aye des bagels pas pires à l'épicerie mais le bagel à son meilleur c'est quand il sort du four à bois. » On peut trouver des bagels mangeables au supermarché, mais le meilleur bagel, c'est celui qui sort du four à bois.

Information culturelle : Le bagel se sert nature avec du beurre, du *beurre de pinottes* (voir mot page 136) ou de la confiture. Il se transforme aussi en sandwich avec du fromage à la crème et du saumon fumé, ou avec un œuf en son centre, du bacon, de la viande fumée, etc., et toutes sortes de *tartinades* (fromage à la crème au pesto, aux tomates séchées, etc.). C'est un incontournable des brunchs du dimanche matin.

Barbecue

Signification : Même sens qu'en France mais impossible d'évoquer le Québec sans parler du barbecue ! Il est rare le Québécois qui, aux premiers frissons du printemps, ne soit pas adepte de cet appareil de cuisson extérieur. Qu'il soit tout petit sur un coin de balcon en centre-ville ou de la taille d'un comptoir encastré dans la cuisine extérieure d'une maison résidentielle, le barbecue l'été est le meilleur ami de la plupart des Québécois, et dans une moindre mesure, des Québécoises. Les rues des villes comme les chemins campagnards sentent alors les grillades apprêtées de mille manières, annonçant ainsi bien haut au nez de tous que le beau temps est – enfin – revenu.

Bar laitier

Signification : Glacier.
Origine : De l'anglais *dairy bar.*
Mise en contexte : « – On va-tu au bar laitier après l'dîner ? – Ouiii, j'ai l'goût d'une molle ! » – On va chez le glacier après le repas de ce midi ? – Ouiii, j'ai envie d'une glace italienne !
À noter : Si vous commandez une glace, on vous donnera des glaçons. Pour obtenir une douceur rafraîchissante et sucrée, il faut demander « une crème glacée ».
Information culturelle : Si au Québec, l'hiver, il peut faire moins quarante degrés, le contraire est vrai, l'été est généralement lourd, humide et caniculaire. Cela explique que dans le pays de l'hiver il y ait tant d'endroits où consommer de la crème glacée !

Beigne (un)

Signification (faux ami) : Beignet en forme d'anneau saupoudré de sucre ou d'un glaçage au chocolat, au caramel, à l'érable. Il peut être fourré de crème, de confiture, etc.
Autres significations :

- Benêt. Personne manquant d'intelligence et de culture, ce qui la rend peu intéressante.

- Fessier. « Y'est assis sur son beigne pis y nous r'garde travailler. »

Se pogner le beigne: Ne rien foutre, glander (familier).
Trou de beigne: C'est la boulette de pâte retirée du centre du beigne (puisqu'il a une forme d'anneau), frite, saupoudrée et parfois fourrée elle aussi. Pâtisserie extrêmement bon marché… et calorique.

Beurrée (une)

Signification: Une tartine beurrée de quelque chose (confiture, miel, creton, fromage à la crème…).
Mise en contexte: « – Quessé tu veux sur ta toast? – J'va prendre une beurrée de beurre s'il-vous-plaît. » – Qu'est-ce que tu veux sur ton pain grillé? – Je vais prendre une tartine de beurre s'il te plaît.
Autres significations:

- Longue durée. « Le show dure une beurrée. » Le spectacle dure très longtemps.
- Très cher. Onéreux. « C'est rendu tellement dispendieux faire des rénovations. Juss refaire mon sous-sol ça m'a coûté une beurrée! » C'est devenu tellement cher de faire des rénovations. Rien que refaire mon sous-sol, ça m'a coûté les yeux de la tête.

Bière d'épinette

Signification: Boisson gazeuse faite de décoction d'aiguilles et de pousses d'épicéa bouillies dans de l'eau et du sucre puis mise à fermenter avec de la levure. Comme son nom ne l'indique pas, cette boisson ne contient pas d'alcool, au même titre que la bière de gingembre et la bière de racinette.

Origine : Les Indiens d'Amérique la consommeraient depuis la nuit des temps, pour ses vertus nutritives et supposément médicinales, notamment pour lutter contre le scorbut. Selon l'historien Benjamin Sulte, dès 1617, l'apothicaire de la Nouvelle-France, Louis Hébert, fabriquait de la bière d'épinette à Québec.
Information culturelle : La bière d'épinette industrielle n'a plus rien à voir avec celle d'autrefois. On trouve encore cependant quelques rares entreprises qui brassent traditionnellement cette boisson historique.

Bière tablette

Signification : Bière servie à la température de la pièce.
Origine : De *tablette*, étagère. Bière entreposée sur des étagères.
Information culturelle : La bière tablette n'est volontairement pas mise au frais parce qu'au Québec, on aime aussi la bière tiède. Cela peut surprendre le palais français, mais la tiédeur modifie les arômes et certaines bières s'y prêtent très bien. Pour une bière fraîche, voir le mot *frette* page 130.

Bines

Signification : Haricots secs. Plat traditionnel québécois auquel peut s'ajouter du lard, du sirop d'érable ou des tomates.
Synonyme : Fèves au lard.
Origine : De l'anglais *beans*, signifiant « haricots ».
Mise en contexte : « J'ai toujours des bines en canne à la maison. » J'ai toujours des haricots en conserve à la maison.

Binerie

Gargote servant des haricots au lard et parfois quelques autres plats simples et bon marché. Ces établissements comparables aux routiers en France faisaient partie du folklore québécois et ont presque disparu aujourd'hui.

- Bines de chantier: Haricots au lard, consommés autrefois par les bûcherons qui partaient sur les chantiers forestiers.
- Câline de bines: Mince alors!

Blé d'Inde

Signification: Maïs.

Origine: Le maïs pousse en abondance sur les terres américaines et quand Christophe Colomb débarque et baptise cette plante, il se croit en Inde, d'où la méprise!

Épluchette de blé d'Inde

Signification: Rassemblement où l'on mange du maïs en épis bouilli ou au barbecue.

Origine: Au début de la colonie, le maïs était un aliment primordial pour la survie des premiers colons. Sa récolte nécessitait au début de l'automne d'éplucher chaque épi pour ensuite le sécher et l'engranger. C'était l'occasion de se réunir en famille et avec les voisins pour effeuiller ensemble les épis autour de chants, de jeux et d'histoires puis de se mettre à table la corvée terminée et de partager des épis bouillis. Les amoureux en profitaient pour se rapprocher. Parmi les épis à éplucher se trouvait une variété pourpre-violette plus rare (un ou deux épis par champ) et celui ou celle qui tombait dessus devait embrasser une personne du sexe opposé. Ils devenaient alors roi et reine de l'épluchette, ce qui leur conférait l'honneur d'ouvrir la danse après l'épluchette ou de recevoir un cadeau.

Information culturelle : Aujourd'hui, l'épluchette de blé d'Inde se fait entre amis, collègues, personnes d'un même quartier, lors d'une activité sportive, communautaire, de levée de fonds, etc. Elle est conviviale, peu coûteuse et demande peu d'organisation, ce qui la rend idéale pour la réception d'un grand nombre de personnes.

Bleuet

Signification : Baie noire-bleutée très proche de la myrtille mais dont la chair est violet pâle.

Information culturelle : En 1870, une grande partie de la forêt du Saguenay-Lac-Saint-Jean a été ravagée par le feu. Le sol s'est alors mis à produire des quantités de bleuets sauvages – la manne bleue – faisant depuis de cette région la plus grosse productrice de bleuets, au point que le terme bleuets sert aussi à désigner ses habitants. Les Bleuets du Lac-Saint-Jean enrobés de chocolat sont une spécialité produite par les pères trappistes.

Boisson (de la/la)

Signification (faux ami) : Alcool.

Mise en contexte : « Y'é bon ton cocktail, mais ça goûte vraiment la boisson. » Il est bon ton cocktail, mais on sent vraiment l'alcool.

Information culturelle : Contrairement à « une » boisson qui ne contient pas d'alcool, *la* ou *de la* boisson en contient toujours. Voir le mot *liqueur* page 132.

Bouffe

Signification : Nourriture. Repas.
Mise en contexte : « Des zucchini avec du canard effiloché c'est ma bouffe préférée. » Courgettes à l'effilochée de canard, c'est mon plat préféré.

Bouffe gastronomique

Signification : Cuisine gastronomique.
Mise en contexte : « La bouffe gastronomique débarque au Casino de Montréal. Monsieur Robuchon va s'installer dans l'ancien pavillon du Québec de l'Expo 67. » La grande cuisine arrive au Casino de Montréal. Monsieur Robuchon va s'installer dans l'ancien pavillon du Québec de l'Expo 67.
Information culturelle : C'est l'Expo 67 qui a ouvert la porte à la diversification des choix alimentaires et à la naissance de la cuisine gastronomique au Québec. Contrairement à la France, le mot bouffe n'est pas perçu au Québec comme familier, d'où le fait qu'il puisse être accolé au mot gastronomique pour décrire de la grande cuisine, ce qui est impensable en France et ne manque généralement pas de faire sourire le Français qui s'attend au pire!

Breuvage

Signification (faux ami) : Boisson sans alcool. Jus de fruits auquel on ajoute du sucre.
Mise en contexte : « Argard l'étiquette sa boîte, c'est pas du jus, c't'un breuvage, y'a du sucre ajouté. » Regarde l'étiquette sur le pack, c'est pas du jus de fruits pur, il y a du sucre ajouté.

Broue

Signification : Mousse (de la bière, du savon, etc.). Par extension, bière. Une mousse.

Origine : De l'anglais *brew.*

Mise en contexte : « J'va essayer de pas trop faire de broue en versant la bière dans ton verre. »

- Avoir la broue dans l'toupette : Vivre une émotion forte, être grisé. Être débordé, très occupé.

Mise en contexte : « Le dernier spectacle de danse de Marie Chouinard était écœurant ! Le monde dans salle avait la broue dans l'toupette. » Le dernier spectacle de danse de Marie Chouinard était génial. Le public dans la salle était sur le cul.

Cabane à sucre

Signification : Bâtiment au cœur d'une érablière où se fabrique le sirop, la *tire*, le sucre, le beurre d'érable et autres produits dérivés.

Information culturelle : Les cabanes à sucre familiales sont généralement très rudimentaires et authentiques comparées aux bâtiments modernes des cabanes à sucre industrielles et commerciales. En mars, pendant *le temps des sucres* lors de la fonte des neiges, les Québécois vont manger à la cabane à sucre. Au menu : *Fèves au lard, oreilles de crisse*, crêpes (pancakes), *tarte au sucre*, le tout nappé de sirop d'érable. Chants québécois, ambiance folklorique et bon enfant et dégustation de *tire* (voir mot page 141), pour couronner le tout.

Café régulier

Signification : Pour différencier un café filtre d'un expresso, d'un cappuccino, etc.

Café latté
Signification : Café au lait.

Moyen café
Signification : Un café de taille moyenne.
Origine : De l'anglais *medium café*.
Mise en contexte : « Va commander un grand café régulier, un petit chocolat et un moyen café latté. » Va commander un grand café, un petit chocolat et un café au lait de taille moyenne.

Canneberge
Signification : Airelle. Petite baie rouge acide, astringente et âpre consommée en jus, en gelée ou séchée.
Mise en contexte : « Pour faire un Cosmopolitain : Une oz de vodka, une demi oz de Grand Marnier, trois oz de jus de canneberges pis des glaçons. » Pour faire un cocktail Cosmopolitain : 30 ml de vodka, 15 ml de Grand Marnier, 90 ml de jus de canneberges et des glaçons.
Information culturelle : La canneberge est plus connue en Europe sous son appellation anglaise *cranberry*. Son jus est très utilisé dans les cocktails. La gelée ou purée de canneberge fait partie des plats traditionnels nord-américains, servie notamment avec la dinde au repas de l'Action de grâce (*Thanksgiving*). La culture des canneberges est très particulière. Les champs ressemblent à des marais salants. Ce sont de grands bassins remplis d'eau au moment de la récolte afin de recouvrir les arbustes. Une sorte d'immense peigne est alors fixé à un tracteur qui, depuis le bord des champs, ratisse

le sol et les arbustes, détachant les baies qui remontent flotter à la surface, qui devient complètement rouge.

Chien-chaud
Signification : Hot dog.
Origine : Vient de l'anglais. La saucisse s'est vue estampillée du mot *dog* car vu son bas prix, on la suspectait d'être composée de viande de chien.
Information culturelle : Ce mot n'est pratiquement jamais employé par les Québécois. Sa raison d'être ici, c'est que les Français citent souvent *chien-chaud* et *hambourgeois* (hamburger) quand ils parlent de la francisation des mots anglais au Québec alors que les Québécois préféreront utiliser le mot *roteux* pour hot-dog et hamburger… comme tout le monde !

Croustade aux pommes
Signification : Dessert qui ressemble au crumble anglais, fait avec des pommes et des flocons d'avoine.

Dépanneur
Signification : Supérette. Épicerie de quartier qui vend un peu de tout pour dépanner. Ouvre très tôt, ferme tard ou reste ouvert 24 heures/24.
Mise en contexte : « Prends du change dans ma sacoche pour aller chercher des ballounes au dépanneur. » Prend de la monnaie dans mon sac pour aller acheter des ballons de baudruche à l'épicerie.

Épicerie
Signification : Supermarché.

Mise en contexte: « J'peux-tu aller à l'épicerie chercher des Oreo? » Est-ce que je peux aller acheter des biscuits Oreo au supermarché? L'Oreo, c'est le casse-croute québécois: deux biscuits ronds au chocolat collés ensemble par une garniture blanche.

- Faire son épicerie: Faire les courses au supermarché.

Mise en contexte: « Je fais toujours mon épicerie la semaine, y'a trop d'achalandage la fin-de-semaine. » Je fais toujours mes courses en semaine, y'a trop de monde le week-end.

T'ES-TU PRÊT À MANGER?

Au Québec, on déjeune le matin, on dîne à midi et on soupe le soir.

Déjeuner: Petit déjeuner. **Dîner**: Repas du midi. **Souper**: Repas du soir.

Le rythme de vie diffère de la France. Beaucoup de Québécois se lèvent autour de six heures le matin. Le repas du midi peut commencer dès onze heures trente et le repas du soir est généralement autour de dix-huit heures, ceci peut-être parce que l'hiver le soleil se couche très tôt (il peut faire nuit dès seize heures) et qu'en été il se lève très tôt (autour de quatre heures).

Être une bébitte à sucre

Signification: Être un bec sucré.

Mise en contexte : « Mes enfants c'est des bébittes à sucre. Y'en ont jamais assez d'un dessert, ça en prend deux. » Mes enfants, ce sont des becs sucrés. Un dessert ne leur suffit pas, il leur en faut deux.

Facture

Signification : L'addition (au restaurant).
Information culturelle : Il est rare qu'une personne paie pour tout le monde. En général, chacun paie sa part. C'est notamment vrai lors d'un rendez-vous galant. Le Québec est une société matriarcale, il ne va donc pas de soi que Monsieur paie pour Madame. Madame voudra généralement payer son repas si elle en a les moyens (elle est indépendante et peut s'offrir elle-même le restaurant), c'est pourquoi il est d'usage pour le serveur ou la serveuse de demander s'il doit préparer « une seule facture » ou « des factures séparées ». Ne pas oublier qu'à votre facture s'ajoutera 15 % de taxes et 15 à 20 % de pourboire (voir le mot *tip* page 140).

Frette (une)

Signification : Une bière fraîche.
Mise en contexte : « Laisse faire la bière tablette, fait benq'trop chaud, m'a prendre une frette. » Laisse tomber la bière tiède, il fait bien trop chaud, je vais prendre une bière fraîche.
Information culturelle : Contrairement à la *bière tablette* (voir mot page 122), cette bière a été mise au réfrigérateur.

Fudge

Signification: Confiserie anglaise ressemblant à du caramel mou, composée de beurre, de lait ou de crème et de sucre et offrant différentes saveurs (chocolat, vanille, amandes, noix, noisettes, érable, beurre de cacahouète, etc.).
Origine: Vient de l'anglais.

Gomme/Gomme balloune/Gomme à mâcher

Signification: Chewing-gum.
Information culturelle: Au Québec, on mâche des gommes et on gomme avec une *efface* (voir mot page 64).

Crème molle/Une molle

Signification: Glace italienne.
Mise en contexte: « Tu veux-tu une molle trempée dans le chocolat oubedon du fudge? » Tu préfères une glace italienne trempée dans le chocolat ou du *fudge* (voir mot page 131)?
Information culturelle: Dans un *bar laitier* (voir mot page 120), la glace italienne en cornet peut être nature, napée d'un coulis de fruits, de caramel ou d'érable ou encore plongée rapidement dans un bain de chocolat qui, en se figeant, forme une croûte dure un peu comme une glace en bâton.

Guédille

Signification: Pain à hot-dog où la saucisse a été remplacée par de la salade de choux avec de la mayonnaise. Selon la région, la salade peut aussi être aux œufs, au poulet, ou plus luxueuse, au crabe, au homard ou aux crevettes, notamment en Gaspésie et sur la Côte-Nord.

Jello

Signification : Non ce n'est pas Jennifer Lopez ! Dessert typiquement nord-américain et britannique composé de gélatine sucrée, transparente et aux goûts et couleurs chimiques. Comme un œuf en gelée sans œuf !

Origine : De l'anglais *jelly* et de la marque *Jell-o.*

Mise en contexte : « C'est mou comme du jello. »

L'affaire est ketchup

Signification : Tout va bien. Tout est terminé. Tout s'est bien passé.

Origine : Pourrait venir d'un slogan publicitaire qui a eu un fort impact au Québec (un peu comme en France « Boire ou conduire, il faut choisir ») : « Avec Heinz, l'affaire est ketchup ! »

Mise en contexte : « Jacinthe est déménagée, pas un meuble de brisé, son vieux divan est parti aux vidanges, les pizzas pis la bière sont arrivées, l'affaire est ketchup ! » Le déménagement de Jacinthe est terminé, pas un meuble de cassé, son vieux canapé est parti à la poubelle, les pizzas et la bière sont arrivées, tout s'est bien déroulé !

Liqueur

Signification (faux ami) : Boisson gazeuse sans alcool. Soda.

Mise en contexte : « – Quessé-tu veux comme liqueur ? – M'a prendre une *bière d'épinette* (voir mot page 121). Contrairement à ce que son nom indique, la bière d'épinette est sans alcool.

Information culturelle : Une liqueur dans laquelle on ajoute de l'alcool devient de la *boisson* (voir mot page 124).

Maïs soufflé
Signification : Pop-corn.
Mise en contexte : « Aller aux vues avec les flos c'est pas mal mieux que le cinéma maison, certain, mais ajoute le maïs soufflé pis les liqueurs, ça r'vient pas mal dispendieux. » C'est sûr qu'aller au cinéma avec les enfants, c'est mieux que le cinéma maison, mais si tu ajoutes le pop-corn et les sodas, ça revient cher.

Moutarde forte
Signification : Moutarde française, c'est-à-dire sans sucre et qui pique!
Mise en contexte : « La moutarde de Dijon est une moutarde forte. »

Moutarde française
Signification : Rien à voir avec la moutarde française! D'un jaune qui tache, cette moutarde est sucrée, vinaigrée et ne pique pas. Synonyme : Moutarde douce.
Mise en contexte : « La moutarde de Dijon est une moutarde française qui n'est pas une "moutarde française"! »

Oreilles de crisse
Signification : Gras de porc salé frit.
Information culturelle : Plat traditionnel des *cabanes à sucre* (voir mot page 126), introuvable ailleurs. Crisse est une déformation du mot *Christ*, ce sont donc les oreilles de Jésus que l'on fait frire! Cette appellation irrespectueuse, crisse étant un juron blasphématoire, témoigne de la volonté des Québécois

de rabaisser la religion pour s'en libérer après des années de soumission. Voir plus d'explication sur ce point page 143.

Palette de chocolat
Signification : Tablette de chocolat.
Mise en contexte : « J'apporte toujours une palette de chocolat pour ma collation. » J'emporte toujours une tablette de chocolat pour mon goûter.

Pain blanc, pain brun
Signification : La couleur indique si le pain est fait de farine raffinée (blanche) ou complète (brune).
Mise en contexte : « Pain brun, pain blanc, toasté, avec du beurre d'arachide ? » Pain brun ou pain blanc ? Grillé ? Avec du beurre de cacahouète ?
Information culturelle : Dans tous les endroits où il est possible de commander un petit déjeuner, la question du choix du pain sera incontournable.

Pain croûté
Signification : Pain qui se différencie du pain de mie par sa croûte croustillante.
Mise en contexte : « Prends don un pain croûté à l'épicerie. »

Pain rôti/Une rôtie
Signification : Tartine grillée. Synonyme : Une toast.
Mise en contexte : « Dans les restaurants, les rôties viennent par deux. C'est ce qu'on appelle un ordre de toast. » Dans les restaurants, les tartines grillées sont servies par deux. C'est ce qu'on appelle un ordre de toast. Ainsi, si vous commandez deux rôties, vous obtiendrez quatre tartines, bon à savoir si

vous ne voulez pas crouler sous les tranches lors d'un petit déjeuner en famille!

Pâté chinois

Signification : Sorte de hachis parmentier fait avec une couche de viande hachée (généralement du bœuf), une couche de « crème de maïs » ou « maïs en crème » (purée de maïs, crème, sel et poivre) et une couche de pommes de terre « pilées » (en purée). Possibilité d'ajouter du paprika. Pour un pâté chinois plus gastronomique, le bœuf sera remplacé par de l'échine de porc effilochée et une couche de *fromage en grains* (ou *crottes de fromage*) intercalée entre la viande et le maïs.

Information culturelle : Il n'existe probablement pas de Québécois n'ayant jamais mangé de pâté chinois. Comme son nom ne l'indique pas, le pâté chinois est un plat familial incontournable au Québec, un peu comme en France le bœuf bourguignon, la blanquette ou plus anciennement la poule au pot. Rien dans sa composition n'évoque la Chine, cependant, son nom viendrait de l'époque de la construction des chemins de fer canadiens. Beaucoup d'ouvriers étaient chinois et leurs employeurs les auraient sustentés avec ce plat nourrissant et bon marché. Selon Jean-Pierre Lemasson, auteur du livre *Le Mystère insondable du pâté chinois*, ce serait une fausse piste: « Tenter de retracer l'origine du pâté chinois est, autant le dire d'emblée, un défi presque insurmontable. » Quoi qu'il en soit, le pâté chinois n'est pas un mets raffiné mais – et cela n'engage que l'auteure française qui vit au Québec depuis quinze ans – fait maison, c'est meilleur que le hachis parmentier!

Pinottes
Signification : Cacahouètes. Arachides.
Origine : De l'anglais *peanut.*

Beurre de pinottes
Signification : Beurre d'arachide. Arachides broyées pour former une pâte.
Origine : De l'anglais *peanut butter.*
Information culturelle : Le beurre d'arachide est un incontournable de la nourriture nord-américaine. Il colle aux dents, aux gencives et au palais comme du nougat mou, est hyper calorique, bourré de niacine (vitamine B3) et un peu déstabilisant les premières fois pour un palais français (des cacahouètes à l'apéro d'accord, mais beurrées sur une tartine, pas sûr !). Pourtant, il devient vite addictif et se mange sans faim, étalé sur des tartines, parfois agrémenté de confiture, ou utilisé en sauce, notamment avec les dumplings (boulettes de pâte asiatiques, farcies et cuites à l'eau, à la vapeur, ou frites). On le consomme même étalé sur des carrés de chocolat noir !

Poêle
Signification : Gazinière (électrique, à gaz ou au bois). Appareil de chauffage (poêle à bois).
Ustensile de cuisson.

Pouding chômeur
Signification : Dessert. Sorte de mariage entre un flan et une crème pâtissière.
Origine : Simple et peu coûteux, ce dessert serait né durant la crise économique de 1929. Composé de farine, de beurre,

d'œufs et de lait ou de crème, il est servi de nos jours dans les cabanes à sucre, nappé de sirop d'érable, et dans certaines chaînes de restaurants.

Pogo
Signification : Saucisse et moutarde enveloppées de pâte, emmanchée sur un bâtonnet, plongée dans la friture et consommée avec du ketchup. Ouach! Sorte de sucette saucissière qui se dégèle au micro-ondes et se croque comme une glace, à même le bâton. De la *junk food* (malbouffe) par excellence.

Poutine
Signification : C'est sans doute le plat québécois le plus connu. Frites saupoudrées de cheddar frais en grains et napées de sauce brune.
Mise en contexte : « Une poutine c'est des patates frites avec d'la sauce barbecue pis du fromage en crottes. » Une poutine, c'est des frites avec de la sauce brune et du fromage en grains.
Information culturelle : Si vous venez au Québec, vous ne pouvez pas ne pas goûter à cet incontournable plat québécois qui serait né en 1950 à Drummondville (il y a cependant contestation sur l'origine!). Non, ça n'est pas un plat raffiné et quand, sous la chaleur de la sauce, le fromage fond et les frites ramollissent, le palais français grimace. Pourtant, si vous testez ce plat typique dans un restaurant spécialisé en la matière, il se peut que vous lui trouviez quelques mérites. Il existe nombre de variantes de la poutine, comme l'italienne par exemple, où la sauce brune est remplacée par de la sauce bolognaise. On

trouve même aujourd'hui, comble du snobisme, de la poutine au foie gras… peut-être pour séduire les touristes français !

Queue de castor

Signification : Pâtisserie québécoise qui a la forme d'une queue de castor.

Information culturelle : La queue de castor est faite en pâte à beignet frite et se beurre au choix de caramel à tartiner, de beurre d'érable ou de noisettes avec ou sans tranches de banane ; elle se saupoudre aussi de sucre, de cannelle ou de smarties et peut même s'arroser de jus de citron. À éviter si vous êtes au régime !

Relish (prononcer « relich »)

Signification : Condiment. Pickles ou chutney. Très gros cornichons ou concombres anglais marinés dans du vinaigre blanc et du sucre et coupés en très petits cubes.

Origine : Vient de l'anglais.

Mise en contexte : « Tu prends-tu du ketchup et de la relish dans ton roteux ? » Tu veux du ketchup et des pickles dans ton hot-dog ?

Roteux

Signification (faux ami) : Hot-dog.

Origine : Le roteux est difficile à digérer, d'où son nom !

Rôti de palette

Signification : Partie arrière de l'épaule du bœuf.

Mise en contexte : « Quand y fait frette c'est l'temps du comfort food, un bon rôti de palette braisé au vin rouge ça te réchauffe un homme. » Quand on se les caille, c'est le moment de se faire un plat réconfortant, une bonne épaule de bœuf braisée au vin rouge, ça vous réchauffe un homme.

SAQ

Signification : Société des Alcools du Québec.
Information culturelle : Société d'État vendant de l'alcool uniquement au Québec. Hormis la bière, le vin et tout autre alcool ne pouvaient s'acheter que dans les magasins de la SAQ. Le monopole de la SAQ tend cependant à s'assouplir et il est possible maintenant de trouver du vin dans les supermarchés (généralement de moindre qualité).

Se sucrer le bec

Signification : Manger des sucreries, des aliments sucrés.
Mise en contexte : « Argad'moi la belle tarte au sucre ! On va s'sucrer le bec tantôt. » Regarde-moi la belle tarte au sucre. On va se régaler tout à l'heure.

Sirop d'érable

Signification : Sirop produit par ébullition à partir de la sève ou de l'eau d'érable recueillie sur les arbres dans les érablières au début du printemps.
Information culturelle : On ne peut visiter le Québec sans goûter au sirop d'érable, le vrai, pas la mélasse à base de maïs qu'on trouve parfois dans les restaurants spécialisés dans les petits déjeuners et les brunchs. Ce sont les Amérindiens qui ont appris aux colons cette méthode qui produit un sirop dont nombre de leurs légendes témoignent. Le meilleur sirop d'érable se présente en boîte de conserve et offre différentes gradations, de clair à foncé, car, selon la saison, le goût

du sirop varie en fonction de sa teneur en sucre. Plus le sirop est clair, moins il est sucré et moins il est fort en goût. Plus il est foncé, plus sa saveur est prononcée.

Sirop de poteau
Signification : Sirop d'érable dilué et de mauvaise qualité ou imitation de sirop d'érable qui ne présente aucun autre intérêt que de vous filer du diabète ! L'appellation parle d'elle-même : Entre un poteau et un érable, y'a pas photo !

Suçon
Signification (faux ami) : Sucette.
Mise en contexte : « On offre le suçon aux enfants le soir d'Halloween. »
Information culturelle : Si à Halloween un ou une collègue vous propose un suçon, ne croyez pas que c'est dans la poche : il ou elle ne fait que vous offrir une confiserie. En revanche, si votre collègue vous propose une *sucette*… voir le mot page 116.

Tarte au sucre
Signification : De la cassonade, de la farine, de la fécule de maïs, de la crème et de la pâte brisée. Délicieux, roboratif mais méchamment calorique, après ça, on peut courir tout nu dans la neige.
Mise en contexte : « La tarte au sucre c'est bon avec de la crème fouettée. » La tarte au sucre, c'est bon avec de la chantilly.

Tip
Signification : Pourboire.

Origine : Vient de l'anglais.
Mise en contexte : « C'est rien qu'des français à la table alors ajoute don le tip sua facture si tu veux n'en avoir. » Ce ne sont que des Français à la table, alors ajoute donc le pourboire à l'addition si tu veux en avoir.
Information culturelle : Le pourboire n'est généralement pas inclus à l'addition. Il faut compter environ 15 % de pourboire. Les « maudits français » sont connus pour ne pas « tiper » (ne pas laisser de pourboire) ou « tiper cheap » (donner un pourboire minable), ce qui est extrêmement mal vu et vous propulse immédiatement dans la catégorie des gros radins sans classe. Ceci dit, si le service a été nul, le *tip* doit s'en ressentir. Une façon facile de savoir combien donner, c'est d'ajouter les montants des taxes TPS et TVQ qui apparaissent toujours sur votre facture.

Tire/Tire d'érable

Signification : Premier sirop d'érable de la saison. Un sirop qui sent le printemps et apparaît au mois de mars, clair et léger.
Information culturelle : On verse traditionnellement le sirop bouilli et chaud sur de la neige et avant qu'il ne fige complètement, on l'enroule autour d'un bâtonnet afin d'en faire des sucettes. La tire se suce à la *cabane à sucre* (voir mot page 126) mais aussi dans les rues des villes, où sur les trottoirs, les propriétaires d'érablières étalent leur neige propre venue de la campagne avant d'y verser la tire qu'on enroule et offre aux citadins, annonçant le beau temps qui revient.

Toast doré/Pain doré
Signification : Pain perdu.
Mise en contexte : « Tu les prends-tu avec de la cannelle tes toasts dorés ? »

Toasteur
Signification : Grille-pain.
Mise en contexte : « Encore un toasteur de brisé, c'est le troisième que je câlisse aux vidanges c't'année ! » Encore un grille-pain de cassé, c'est le troisième que je fous à la poubelle cette année !

Ustensiles
Signification : Couverts.
Mise en contexte : « Apporte les ustensiles, on va manger dans la cour. » Apporte les couverts, on va manger dans le jardin. »

LES SACRES, ET L'ART SUBTIL DE BLASPHÉMER

Au québec on ne jure pas, on sacre !

Les sacres sont dérivés du vocabulaire liturgique et, à ce titre, racontent l'influence considérable qu'a eu la religion catholique sur la société québécoise jusqu'à la Révolution Tranquille, qui a débuté en 1960 et a duré une dizaine d'années. Durant cette période, le Québec, qui s'était refermé sur lui-même pour résister à la domination anglophone, va se libérer et vivre de grands bouleversements, se délivrant notamment de la mainmise de l'Église. Le pouvoir ecclésiastique touchait toutes les sphères de la vie et faisait parfois le jeu des anglophones au détriment de son propre peuple québécois. Les sacres en tant que jurons blasphématoires existaient avant la Révolution Tranquille, mais durant cette période, ils ont probablement servi d'exutoire et affirmé une volonté de profaner ce pouvoir et de s'en défaire.

De l'agacement à la rage en passant par la colère, de l'étonnement à la stupéfaction, de la frustration à la douleur physique et psychique, de l'ennui à la reconnaissance, de la peur à l'amour, les sacres expriment les états d'âme, les émotions, et en soulignent l'intensité. Cela explique sans doute que bien que très grossiers, ils soient présents dans le langage quotidien. À noter qu'en tant que Français, il est difficile de sentir la vulgarité des sacres, car ils viennent de mots comme hostie, sacrement ou tabernacle qui sonnent joliment à l'oreille française.

Le sacre est malléable !

Interjection : « Crisse ! » Putain, bordel !
Qualificatif : « Une crisse de belle fille. » Une sacrée belle fille.

Substantif : « Toé mon p'tit crisse. » Toi mon p'tit sacripant.
Verbe : « Je crisse mon camp. » Je fous le camp. Je dégage.
Adverbe : « Ça fait crissement mal ! » Ça fait super mal !
Nom : « Être en crisse. » Être en colère.

Le sacre, marqueur d'intensité émotionnelle ou l'art de le juxtaposer pour en amplifier l'effet.
« Un crisse de cave » est plus débile qu'un stupide « gros cave ». « Être en tabarnak. » Être très fâché. « Être en maudit tabarnak. » Être au bord de l'explosion. Et si vous croisez un Québécois en « Ostie de câlisse de tabarnak », fuyez !

De la longueur du sacre comme indicatif d'intensité.
« Tabarnak » est plus fort que « câlisse », à moins d'être en « ostie d'câlisse ».

Le sacre intensificateur.
« Un crisse de gros chien. » Un sacré gros chien. « Un ostie d'bon show ! » Un sacré bon spectacle.

Le sacre peut s'enfiler comme des perles, selon une syntaxe et un ordre grammatical complexes.
« Câlisse d'esti de calvaire de tabarnak d'ostie d'ciboire de sainte-viarge ! » « Ostie de câlisse de tabarnak de crisse d'osti d'marde ».
Si un Québécois vous dit ça, je pense que que vous allez le sentir passer !

Certains sacres sont plus sacrilèges...
Ostie, câlisse, crisse, sacrament, tabarnak.
À noter que ce sont les plus employés aujourd'hui !

… que d'autres.

Baptème, torrieux, bonyeu, viarge. Ajoutez cependant « Sainte » à « viarge » et vous tombez dans le hautement blasphématoire. Eh oui, c'est compliqué!
À noter que les sacres « plus doux » ne sont pas employés par les jeunes aujourd'hui et tombent petit à petit en désuétude.

Tout sacre n'est pas blasphème.

Certains sacres peuvent se transformer en blasphème, augmentant la violence de l'invective. Pour cela, il faut leur accoler le mot « saint »: Saint-chrème, saint-sacrament, saint-tabarnak, sainte-viarge…
Les jeunes n'emploient plus ces sacres « aggravés », sans doute parce que la religion n'a plus le poids d'autrefois, les blasphèmes perdent donc leur raison d'être, ils tombent ainsi progressivement en désuétude.

Vulgaires, le sacre peut se déguiser, se décliner et s'atténuer sous formes d'euphémismes…

« Esti, astie, 'stie » pour « hostie ». « Calvince, clavasse, calvenusse » pour « calvaire ».

… ou devenir un simple juron.

Tabarouette, tabarnouch, barnouche, câline…

Le sacre se combine très bien avec les insultes et les grossièretés.

« Crisse d'épais. » Gros crétin. « Ostie d'chien sale. » Putain d'enfoiré.

Rarement écrit, l'orthographe du sacre est aléatoire.
« Tabarnak », « tabarnaque », « tabarnac ». « Ostie ».

Mise en garde !
Savoir sacrer est un art complexe de la nuance où il faut mettre le bon ton, avoir le bon *timing*, le bon accent, la bonne syntaxe, la bonne intensité, le bon degré de sacre, etc. Par exemple, « ostie de tabarnak » est un sacre courant mais « tabarnak d'ostie » ne se dit jamais. Le sacre ne s'apprend pas, il vient des tripes de celui qui le lance. Pour être crédible et pris au sérieux, il faudra donc à l'étranger une excellente connaissance de la culture québécoise, d'autant que certains sacres provoquent de très vives réactions chez la personne qui les reçoit; il est donc bon de savoir dans quoi vous vous embarquez si vous vous essayez à sacrer sans être québécois. C'est un art subtil que bien peu d'étrangers sont capables de maîtriser. À vos risques et périls donc !

•••

Baptême

Origine: Vient du mot religieux *baptême*.
Euphémismes: Batinsse, Batèche.
Mise en contexte: « Baptême, oussé qu'j'ai serré mes mitaines? » Zut, où ai-je rangé mes moufles?
J'ai mon baptême!: Je n'en peux plus! Ça suffit!
Attention: Ce terme tombe en désuétude.

Câlisse

Origine: Vient du mot religieux *calice*.
Euphémismes: Câline, câlique, câline de bine.
Mise en contexte: « Tu m'niaises-tu câlisse? » Tu te fous de moi, bordel! « Câlisse de métro toujours brisé! » Putain de métro, toujours en panne!
Câlisser ça là: Abandonner. Foutre ça là.
Câlisser la paix/patience: Laisser tranquille. Foutre la paix. « Câlisse-moé patience! » Fous-moi la paix!
Câlisser son camp: Foutre le camp, dégager.
Câlisser une volée: Donner une raclée.
Ça vaut pas un câlisse: Ça ne vaut pas tripette.
S'en câlisser/contre-câlisser: S'en foutre. S'en foutre complètement. « J'm'en câlisse! » Je m'en fous!
Se faire câlisser: Se faire battre à plates coutures (plus particulièrement sur le plan sportif).
S'en faire câlisser toute une: Se faire défoncer. Se prendre une grosse raclée.
Se faire câlisser déhors: Se faire renvoyer.

Calvaire

Origine: Du mot religieux *calvaire*.

Euphémismes : Calvince, calvâsse, calvette, calvinus, calvénus, calvinisse.
Mise en contexte : « J'ai don bin d'la misère, calvaire ! » J'ai vraiment de la difficulté, bon Dieu !

Ciboulère/Saint-ciboulère

Origine : Vient du mot religieux *ciboire*.
Euphémismes : Cibole, cibolaque, cibon.
Mise en contexte : « Ciboulère, vas-tu partir ostie d'char ! » Bordel, vas-tu démarrer, putain d'voiture ! « Saint-ciboire, quessé tu fais là ? » Qu'est-ce que tu fous ?
Usage : « Ciboulère » est un sacre ; en lui ajoutant « Saint », on le transforme en blasphème, c'est-à-dire qu'on maudit plus fort, avec plus de gravité et de violence.

Crisse

Origine : Déformation de *Christ*.
Euphémismes : Cristi, cristophe. Crime, crime-pof qui sont deux jurons, donc encore plus adoucis.
Mise en contexte : « Vient donc me dire ça dans face mon gros crisse ! » Vient donc me dire ça en face, gros con hypocrite.
Usage : Ce sacre s'accommode très bien avec presque tous les autres.
Au plus crisse : Au plus vite.
Crissement : Vachement. « C'est crissement bon ! » C'est vachement bon !
S'en crisser/contre-crisser : S'en foutre. S'en foutre complètement. « J'm'en contre crisse ! » Je m'en contre-fous !

Sentir le crisse : Puer. Sentir la sueur. « Ça sent l'crisse icitte ! » Ça pue ici !
Crisser ça là : Abandonner. Laisser tomber. Planter là.
Crisser dans bouette : Pousser dans la boue.
Crisser dans marde : Mettre dans la merde. Créer des ennuis.
Crisser déhors : Mettre à la porte. Licencier.
Crisser la paix/patience : Foutre la paix. Laisser tranquille.
Crisser l'feu à cabane : Incendier la cabane, dans le sens de mettre de l'ambiance.
Crisser quelque chose dans/sur quelque chose : Balancer, mettre, ajouter sans soin dans/sur.
Crisser son camp : Foutre le camp. Dégager.
Crisser une volée : Donner une raclée. « J'va t'en crisser une ! » Je vais t'en mettre une !
Se faire crisser là : Se faire larguer.
S'en faire crisser toute une : Se faire battre à plates coutures (généralement dans un sport).

Décâlisser

Origine : Vient du mot religieux *calice*.
Mise en contexte : « Viens t'en, on décâlisse de chez ces asties d'cons. » Viens, on se tire de chez ces gros cons.
Décâlisser quelque chose : Démolir.
Être décâlissé d'la vie : Être déprimé. Être malade.
Être toute décâlissé : Brisé, amoché, en parlant d'une chose ou de l'état émotionnel d'une personne.
Se décâlisser : S'enivrer à l'excès. Se mettre minable.

Décrisser

Foutre le camp, se tirer, dégager.

Décrisser quelque chose: Démolir.

Ostie

Origine: Vient du mot religieux *hostie*.

Euphémismes: Astie, estie, 'stie.

Mise en contexte: « Ostie qu'y est beau, j'me peux pu! » Putain qu'est-ce qu'il est beau, j'me tiens plus. « Ostie c'est plate ce show-là! » Il est vraiment ennuyant ce spectacle. « T'es ben mieux d'm'écouter mon ostie! » T'as intérêt à m'écouter, enfoiré.

Une estie d'salope: Une fille facile, qui couche à droite à gauche.

Sacrament

Origine: *Sacrement.*

Euphémismes: Sacristie, cristie, sacrifice.

Mise en contexte: « Sacrament, y va-tu japer longtemps? » « Sacrament que tu me tapes sé nerfs! » Qu'est-ce que tu m'énerves!

« Ça va mal, saint-sacrament… »

Sacrant

Origine: *Sacre.*

Mise en contexte: « C'est vraiment sacrant! » C'est vraiment navrant!

Au plus sacrant: Au plus vite! Dans les plus brefs délais. « Mets tes bottines au plus sacrant, faut qu'on y'aille. » Mets tes bottes au plus vite, faut qu'on file.

Forme abrégée: PS. « Fais ça au PS. » Fais ça au plus vite.

Sacrer

Origine : Vient de *sacre*.
Bien que ce ne soit pas un juron à proprement parler, le verbe sacrer peut être utilisé comme amplificateur.
Sacrer une volée : Balancer une raclée.
Sacrer sa yeule : Foutre sur la gueule. « M'a t'sacrer ma main sa yeule ! » Je vais te foutre ma main sur la gueule.

Simonaque

Origine : *Simonie.*
Mise en contexte : « Simonaque d'hiver ! ». Putain d'hiver.

Tabarnak

Origine : Du mot religieux *tabernacle.*
Euphémismes : Tabarouette, tabarnouche, tabarnoune, tabarnache, tabarnane, tabarnik, barnak, barnik, tabarslak, tabouère (amalgame avec cibouère), ta'...
Mise en contexte : « Tabarnak ! Encore une défaite des Canadiens ! » C'est pas vrai putain, les Canadiens (équipe de hochey) ont encore perdu !
« Viens icitte mon tabarnak, tu vas en manger toute une ! » Viens par-là gros con, je vais t'en foutre une sacrée ! « Ma grosse tabarnak vas-tu fermer ta yeule ? » Ma grosse conne, vas-tu la fermer. « Y'en avait en tabarnak ! » Il en avait beaucoup.
Ostie de tabarnak ! : Merde alors !

Torrieux/Bonyeu

Origine : *Tors à Dieu/Bon Dieu.*

Mise en contexte : « Torrieux, j'comprends rien à qu'est qu'y dit ! » Bon Dieu, je ne comprends pas ce qu'il dit ! « Eille, mon torrieux ! » Hé emmerdeur !
Usage : Ce terme tombe en désuétude.

Viarge

Origine : *Vierge*. Sous-entendu la Sainte-Vierge.
Mise en contexte : « Viarge qu'est belle ! » Putain c'qu'elle est belle !
Bout d'Viarge ! : Putain j'en ai assez !
Usage : Ce terme tombe en désuétude.

Yâbe/Diab

Origine : Déformation du mot *diable*.
Mise en contexte : « Va au Yâbe. » Va te faire foutre.
Ça parle au yâbe ! : Exclamation de surprise ou de grand étonnement.
Sentir le yâb : Puer.
Usage : Ce terme s'utilise dans des expressions et pas véritablement en tant que sacre.

ET AUTRES JURONS ET INSULTES !

Colon
Signification : Ignorant, mal dégrossi. Personne frustre, sans culture ni savoir-vivre.
Mise en contexte : « J'veux pu rien savoir de cette gang de colons. » Je ne veux plus entendre parler de cette bande de crétins mal dégrossis.

Épais
Signification : Personne manquant de finesse et de savoir-vivre. Imbécile.
Mise en contexte : « Estie d'épais, c'est-tu en option le maudit flasher sur ton Audi ! » Connard, c'est en option le putain de clignotant sur ton Audi !

Frais chié
Signification : Personne arrogante, méprisante, qui se prend pour une autre. Un m'as-tu-vu.
Mise en contexte : « Check le faire son frais chié depuis qu'il a bumpé le chef de service ! » Regarde-le faire l'arrogant depuis qu'il a pris la place du chef de service.
Faire son frais : Faire l'intéressant. « Quel péteux d'broue, toujours à faire son frais. » Quel vantard, toujours à faire l'intéressant.

Gnochon
Signification : Stupide, idiot.
Mise en contexte : « Arrête don d'faire le gnochon. »

Habitant

Signification : Plouc, cul-terreux.
Mise en contexte : « Quand t'es t'arrivé icitte tu faisais pas mal habitant. » Tu faisais plutôt plouc quand t'es arrivé ici.

Joualvert

Origine : Joual est la déformation du mot cheval, prononcé en *joual* (parlure québécoise).
Mise en contexte : « Y'était en beau joualvert. » Il était très fâché.
À noter : Être en beau joualvert c'est être en tabarnak, mais de façon moins grossière !

Mangeux d'marde

Signification : Mangeur de merde. Personne minable, méprisable. Salopard, enfoiré.

Maudit(e)

Origine : Du verbe *maudire*.
Euphémismes : Maudine, mautadine, mautadit.
Mise en contexte : « Maudit qu'j'ai hâte d'être au printemps ! » Qu'est-ce que j'ai hâte que le printemps arrive. « Y'est en maudit après son gars. » Il est fâché après son fils. « Maudit niaiseux ! » Espèce d'imbécile. « Y'en a en maudit ! » Il y en a beaucoup. « Être en maudit tabarnak. » Être extrêmement fâché.

Maudit français

Entre Québécois et Français, c'est une passion qui oscille entre l'amour et la haine. Oui nous sommes cousins, oui nous sommes censés parler la même langue, mais quand le Français

arrive en terrain conquis, souligne les anglicismes et fait des réflexions sur la langue et l'accent dans un pays où c'est lui qui a l'accent, donne des leçons, sait tout sur tout, critique la poutine avec dédain, compare le fromage en crottes à du plastique, s'étonne que les Québécois soient si peu cultivés, à l'image de leurs voisins des États-Unis, juge les coupes à blanc dans les forêts boréales et l'extraction des gaz de schiste, se moque de Céline et des chanteuses québécoises qui crient, habillées dans des vêtements mal coupés de basse qualité, ce Français-là, c'est un maudit Français! Il n'y a pas de fumée sans feu, si une insulte a été créée spécialement pour les Français, il y a sans doute une raison! Heureusement, les Québécois qui fréquentent vraiment des Français, notamment ceux qui, venus de France, se sont installés et adaptés à la culture québécoise, savent que le maudit Français n'est pas majoritaire. Quoi qu'il en soit, c'est une relation complexe mais on s'aime bien malgré tout!
Blague populaire au Québec: « Comment faire de l'argent avec un Français? Tu l'achètes au prix qu'il vaut et tu le revends au prix qu'il s'estime. »

LE QUÉBEC, ENCLAVE FRANCOPHONE DANS UNE MER ANGLOPHONE

Dire à un Québécois qu'il utilise des anglicismes est la meilleure façon de passer pour un *maudit Français* (voir page précédente) qui, selon le Québécois, utilise des mots anglais à tour de bras et n'importe comment. En fait, l'un comme l'autre ont raison. Le Français utilise beaucoup de termes anglais, souvent de façon erronée (un *dealer*, c'est un vendeur de voiture ou d'électroménager, un vendeur de drogue se dit *pusher*). Quant au Québécois, qui sauvegarde sa langue en utilisant « courriel » plutôt que « e-mail », « stationnement » pour « parking », « arrêt » (stop), « fin de semaine » (week-end), « magasinage » (shopping), etc., il a souvent peu conscience d'employer pourtant lui aussi nombre d'anglicismes dont certains passent inaperçus parce qu'ils ont été francisés. Comment pourrait-il en être autrement dans la mesure où le Québec est une minuscule enclave francophone cernée par des immensités anglophones. Quoi qu'il en soit, Français comme Québécois utilisent des anglicismes seulement, à l'image du *scotch* pour les Francais, du *tape* pour les Québécois et du *scotch tape* pour les anglophones, nous n'utilisons tout simplement pas les mêmes ! Reconnaissons au passage que le Québécois est méritant, car il a su, malgré la marée anglophone qui l'entoure, sauvegarder sa langue et donc, son identité. Chapeau bas !

Contrairement à la France qui prononce les mots anglais avec l'accent français, le Québécois les prononce à l'anglaise.

Il est à noter que l'influence linguistique n'est pas à sens unique, les anglophones aussi se sont enrichis de pas mal d'expressions francophones.

Mausus
Origine: Moïse prononcé à l'anglaise *Moses*.
Mise en contexte: « Mon p'tit mausus, arviens icitte tusuite! » Petit garnement, reviens ici tout de suite. « Mausus qu'chu tanné! » Qu'est-ce que j'en ai marre! Ou selon le contexte, qu'est-ce que je suis fatigué.
Usage: Bien que le mot vienne de Moïse, ce n'est pas un sacre mais un juron peu virulent, allez comprendre (voir section sur les sacres page 143)!

Moron
Signification: Un crétin fini!
Origine: Vient de l'anglais.
Mise en contexte: « J'veux pas d'troubles avec ces osties d'morons-là. » Je ne veux pas de problèmes avec ces crétins.

Moumoune
Signification: Trouillard, mauviette.
Mise en contexte: « Torrieux, c'est pas de la boisson de moumoune! » Mon Dieu, c'est pas de l'alcool pour lopette!

Newfie
Signification: Abréviation de *Newfounlander*. Les habitants de Terre-Neuve. Le Newfie est au Québécois ce que le Belge est au Français. Il existe sans doute autant de blagues sur les Newfies qu'il existe de blagues sur les Belges.
Mise en contexte:
– Un Newfie roule à contresens sur l'autoroute transcanadienne à la hauteur de Montréal. Il allume la radio et entend: « Radio circulation. Attention, on apprend à l'instant qu'un

automobiliste roule dans le mauvais sens sur la transcanadienne à la hauteur de Montréal. » Le Newfie s'exclame alors: « Criss, y'en a pas rien qu'un! »
– Combien de Newfies faut-il pour pêcher au trou sur un lac gelé? Cinq. Un pour creuser le trou dans la glace et quatre autres pour enfoncer la chaloupe.
Note: La pêche au trou se pratique assis au bord d'un trou dont la taille doit permettre de plonger une ligne et à remonter sa prise, guère plus.

Niaiseux

Signification: Niais, imbécile.
Mise en contexte: « Faut être naiseux pour se faire enfirouaper d'même. » Faut être idiot pour se faire arnaquer de la sorte.

Pissou

Signification: Froussard. Lâche.
Autre signification:

- Utilisé de façon péjorative par les anglophones en parlant des Canadiens français. Les Québécois mangeant beaucoup de soupe aux pois autrefois, qui se dit *pea soupe* en anglais, les Canadiens anglophones auraient adopté le terme pour signifier leur mépris des Québécois jugés frustres et sans raffinement, comme la soupe aux pois.

Sans allure

Signification: Sans classe. Personne sans talent et sans savoir vivre.

Mise en contexte : « – A fait-tu assez p'tit peuple? – Mets-en, est sans allure, certain! » – Qu'est-ce qu'elle fait plouc! – Tu m'étonnes! Elle est sans classe, c'est clair.

Sans-dessein/Sans-génie

Signification : Crétin.
Mise en contexte : « Faut-tu êt'e un sans-dessein pour faire une affaire de même? » Faut-il être crétin pour faire une chose pareille?

Taouin/Tarla/Toton

Signification : Imbécile.
Mise en contexte : « Espèce de taouin, j'ai commandé un cappuccino, pas un café latté! » Quel imbécile! J'ai commandé un cappuccino, pas un café au lait!

Tata

Signification : Personne ridicule.

Téteux

Signification : Lèche-cul. Fayot.
Mise en contexte : « Ouin, premier arrivé à la job, dernier parti, c'est rien qu'un téteux d'boss. » Ouais, premier arrivé au travail, dernier parti, c'est vraiment le lèche-cul du patron.

Trou d'cul

Signification : Trou du cul. Connard.
Mise en contexte : « Y'é où l'd'trou d'cul qu'à bouché l'sink? À cause que c'est à job on s'en câlisse de laisser ça propre! » Il est où le connard qui a bouché l'évier? Parce que c'est au travail, on se fout bien de laisser propre après soi!

Péter plus haut qu'le trou: Être snob.

Twit

Signification: Imbécile.

Origine: Vient de l'anglais.

Mise en contexte: « Hey l'twit, pousse toé d'mon char, aweille déguédine! » Hey le crétin, éloigne-toi de ma voiture, allez, dépêche!